NELSON'S
MODERN METHOD FRENCH COURSE
BOOK 2

A graded course in five Books up to the Ordinary Level of the General Certificate of Education

NELSON'S MODERN METHOD FRENCH COURSE

BOOK 2

by

E. B. CRAMPTON, B.A. (Lond.)
Examiner in French
General Certificate of Education, Senior Modern Language Master
Blackpool Grammar School

and

C. E. LOVEMAN, B.A., B.Sc. (Lond.)
Senior Modern Language Master
Palatine School, Blackpool

THOMAS NELSON AND SONS LTD
LONDON EDINBURGH PARIS MELBOURNE
TORONTO AND NEW YORK

THOMAS NELSON AND SONS LTD

Parkside Works Edinburgh 9
36 Park Street London W1
312 Flinders Street Melbourne C1

302–304 Barclays Bank Building
Commissioner and Kruis Streets
Johannesburg

Thomas Nelson and Sons (Canada) Ltd
91–93 Wellington Street West Toronto 1

Thomas Nelson and Sons
19 East 47th Street New York 17

Société Française d'Éditions Nelson
97 rue Monge Paris 5

First published September 1955
Seventh impression 1960

FOREWORD

This is the second volume of a new French Course based on modern methods and incorporating the results of long experience in Grammar School teaching. It does not follow the hundred per cent direct method—the time allowed for French in most Grammar Schools and the size of the classes render that method impracticable—but we choose to call it a 'Modern Method Course' because French is the medium for both teacher and pupil whenever possible, and because we are convinced that the best way to learn a foreign language is *to use it*, listening to it and speaking it from the first lesson.

The first four volumes lead up to and cover all the work necessary for the General Certificate examination in French at the Ordinary Level. The fifth book is intended for the many pupils who sit the Ordinary Level of the G.C.E. at the end of their fifth year of French.

The grammatical content has been carefully planned, but, in the first two years, the main stress is placed on oral practice. The aim is that all pupils should be speaking and understanding simple French in as short a time as possible and should be doing so with reasonable facility at the end of the second year.

Book I

This book is intended to cover the first year of French. It contains twenty lessons, but the last two offer no new grammatical material and are intended to give further practice to pupils who reach Lesson 18 before the end of the summer term. The book gives ample scope for practice in speaking French, and the numerous illustrations are designed to form a basis for this oral work on which we lay such stress.

Phonetics. There is a phonetic introduction, use of which should ensure correct pronunciation from the very outset. Whether this introduction is used or not, good pronunciation should be the aim from the start, special attention being paid to the *tenseness* and *purity* of French vowel sounds.

Grammar. The present tense of regular verbs and of a few common irregular verbs is dealt with in this volume. Other grammar includes the definite and indefinite articles, the partitive article, possessive and demonstrative adjectives, and pronoun objects.

Question and answer. Many of the exercises take this form, and we have found that, at the beginning, it is better for the pupils to ask the questions, the teacher supplying the answers. When the teacher has answered the questions for five or ten minutes, the roles can be reversed and replies come readily from the pupils. The usual question forms (*Où est ? Où sont ? Voyez-vous ? Que voyez-vous ? De quelle couleur est ?* etc.) are introduced gradually.

Dialogues. A special feature of this Course, these dialogues are sufficiently short to be learnt and acted by the pupils. They add variety to the lessons and give valuable practice in the use of the first and second persons.

Translation. Although translation of English into French is not an essential feature of this Course in the first and second years, some exercises, based on the reading matter of the lessons, will be found at the end of the book.

Revision. Revision exercises are given after every five lessons. These, like all the exercises in the book, are graded to give adequate practice in oral and written work for all types of pupils.

Book II

The second volume continues on the lines of Book I, with the stress still on spoken French. The numerous illustrations are designed to encourage the development of the systematic question-

and-answer work established in the first year. Model questions no longer appear at the foot of the passages, since pupils will by now find little difficulty in framing their own simple questions. The teacher can give guidance at his discretion. The reading passages are intended to teach useful, living French, the French we hear spoken in station, shop and street. There are frequent dialogues and a further selection of songs. Guided free composition, which began in a very simple manner in Book I, becomes a regular feature. The perfect and future tenses are added and, by the end of the book, three tenses of all the regular and the more common irregular verbs have been introduced.

Revision and translation exercises are included, and we also add a few simple passages for aural comprehension and dictation. As in Book I, the last two of the twenty lessons contain little new grammar and are intended to give extra practice to quicker pupils. The Grammar Summary includes all grammar introduced in Books I and II. The following points of grammar also receive special consideration : reflexive verbs, the interrogative adjective, the order of pronoun objects, the formation of adverbs, the relative pronoun, ordinal numerals, the comparison of adjectives, and stressed pronouns.

Book III

This volume covers the third year of French in Grammar Schools and is graded to meet the needs of the average pupil. The subject matter is closely related to the country and the life of its people. As in the earlier books there is ample material for oral work.

Grammar. Four new tenses are introduced during the year—the imperfect, the pluperfect, the past historic and the future in the past (conditional). More common irregular verbs are added, and other grammatical points receiving special attention include the present participle, relative pronouns (*qui*, *que*, *dont*, *lequel*, *ce qui* and *ce que*), interrogative pronouns and negatives. The Grammar Summary covers Books I, II and III.

Dialogues. These are continued to provide additional oral practice. Some simple poems are also included and may profitably be learnt by heart. These we are sure will be a welcome feature.

Free Composition. This is developed from the 'guided' essays of Book II and is widened in range by frequent practice.

Aural Comprehension. Further passages are given for this valuable form of test which is becoming popular with examining bodies. These passages may also be used for dictation.

Translation. English-French translation, again based mainly on the reading passages, now becomes an integral part of the work. Exercises are so graded and annotated that the average pupil can confidently begin translation at this stage. Little new grammar is introduced in the first two and last two lessons of the book.

Book IV

This volume opens with two revisional lessons and then goes on to complete the grammar required for the Ordinary Level Examination of the General Certificate of Education. It follows naturally on Book III with further subject matter on France and the French, while the illustrations conform to the more mature outlook of the pupils.

Grammar. The remaining tenses are introduced, and the subjunctive is treated in such a way that the better pupils can master the elementary rules of this mood which they are now meeting in their reading. It can be omitted, however, by those to whom it might prove an obstacle. By the end of the book all the commonly used irregular verbs have been included. Other grammatical points treated are : the demonstrative and possessive pronouns, common indefinite adjectives and pronouns, the modal auxiliaries, the use of the infinitive with prepositions, the government of verbs, impersonal verbs and the passive voice.

As in Books II and III there is a brief summary of the grammar at the end of the volume.

Free Composition. The range of this is further widened to meet the requirements of the General Certificate of Education, and the use of picture-strips introduces the pupils to the type of essay now set in some examinations.

Aural Comprehension and Dictation. These exercises are continued and reach the Ordinary Level standard by the end of the book.

Oral Comprehension. Ample practice is given in answering questions on set passages, this following naturally on the type of oral work found in the earlier books.

Translation. The English-French translation passages are specially intended to serve as practice for the First Examination of the G.C.E.

Book V

This fifth book is specially designed to be of maximum assistance to fifth-year pupils taking the G.C.E. examination in French at the Ordinary Level. The necessary work is thoroughly consolidated and all the essential grammar is collected for easy reference. Exercises are given to afford ample practice in those points which constantly occur in examination papers.

Practice to cover a year's work is also given in all the types of question set by the various Examination Boards : Translation from and into French, Essays based on outlines or on picture-strips, Aural Comprehension, Oral Comprehension, Comprehension of prose and verse passages and Dictation.

With all these books, beginning from the middle of Book I, the use of readers is recommended. Teachers can gauge the amount of time required to cover the work of the Course in each year and use the remaining lessons for constant practice in reading French texts. We strongly recommend readers with a French background, and the publishers of this Course have a wide and graded selection which teachers can inspect on request.

We wish to express our thanks to M. Albert Merlin for some useful suggestions.

E.B.C.
C.E.L.

CONTENTS

LEÇON 1

LA RENTRÉE DES CLASSES

Nous sommes à la fin de septembre. Demain c'est la rentrée des classes. En France les enfants retournent toujours à l'école au mois d'octobre. Ils ont dix à douze semaines de vacances en été, mais quand enfin les vacances finissent ils retournent à l'école.

Pourquoi Jean-Paul n'est-il pas heureux ? Il n'est pas heureux parce qu'il n'aime ni les mathématiques ni la géographie. Le maître de géographie est sévère. Il a le nez long et de petits yeux noirs. Jean-Paul aime l'histoire et l'anglais, mais il préfère le football, la pêche, le cinéma et les promenades à bicyclette.

Sa sœur, Marie-Claude, est très heureuse parce qu'elle va revoir toutes ses camarades et va parler avec Madeleine, Louise et toutes les autres petites filles. Elle aime presque toutes ses leçons, surtout le dessin, la couture et la cuisine.

Et la mère des deux enfants, est-elle heureuse ou fâchée ? Elle est très heureuse parce que ses enfants vont retourner à l'école demain. Mais aussi elle est fâchée contre Jean-Paul parce qu'elle a beaucoup de travail à faire ce soir. Le pantalon de Jean-Paul est déchiré, son veston n'a pas de boutons, et Jean-Paul n'a pas tous ses livres.

Et le père ? Il n'est ni heureux ni fâché. Il est assis dans sa chaise devant le feu. Il dort.

Grammar

I DORMIR

je dors	nous dormons
tu dors	vous dormez
il dort	ils dorment
elle dort	elles dorment

Negative	*Interrogative*
je ne dors pas	est-ce que je dors ?
tu ne dors pas, etc.	dors-tu ?
	dort-il ? etc.

II PRÉFÉRER

Note the accents :

je préfère	nous préférons
tu préfères	vous préférez
il préfère	ils préfèrent
elle préfère	elles préfèrent

III FEMININE OF ADJECTIVES

Note the following :

heureux, *fem.* heureuse   sévère, *fem.* sévère

IV NOTE THE FOLLOWING PLURAL :

le travail, *plur.* les travaux

(1,582)

V REVISE THE FOLLOWING (from Book I) :

verbs : *avoir*, *être*, *voir*, *aller*, *aimer*, *finir* (see p. 185 ff.)
possessive adjectives : *mon*, *ma*, *mes*, etc. (see p. 180)
demonstrative adjectives : *ce*, *cet*, *cette*, *ces* (see p. 180)
months, days of the week, numbers (see p. 194)

Vocabulaire

le commencement, beginning
l'été (*masc.*), summer
le maître, master
l'anglais (*masc.*), English (language)
le football, football
le cinéma, cinema
le dessin, drawing
le travail, work
le pantalon, trousers
le bouton, button
retourner, to return
revoir, to see again
dormir, to sleep
la rentrée, return
les mathématiques (*fem.*), mathematics
la couture, sewing
heureux (fem. *heureuse*), happy
fâché, *-e*, sorry, angry
fâché contre, angry with
sévère, strict
surtout, above all, especially
demain, tomorrow
préférer, to prefer
déchirer, to tear
déchiré, *-e*, torn

Exercices

I Mettez (*a*) *le*, *la*, *l'* ou *les*
(*b*) *du*, *de la*, *de l'* ou *des*
(*c*) *ce*, *cet*, *cette* ou *ces* devant :

rentrée mathématiques travaux travail cinéma
maître pantalon couture boutons cuisine

II Conjuguez :

J'aime le football, tu aimes le football, etc.
Je finis ma leçon, tu finis ta leçon, etc.
Je vais à l'école, tu vas à l'école, etc.
Est-ce que je suis heureux ? es-tu heureux ? etc.

III Mettez à l'interrogatif :

(1) Elle est fâchée.
(2) Il a le nez long.
(3) J'aime mes leçons.
(4) Ils retournent à la maison.
(5) Il préfère le football.
(6) Vous allez au parc.
(7) Le pantalon est déchiré.
(8) Les vacances finissent demain.

IV Ajoutez l'adjectif à la forme convenable :

heureux :	des parents ——	une fillette ——
	une voisine ——	mon père ——
petit :	ce — cahier	votre — sœur
	mes — souliers	ses — yeux
déchiré :	mon pantalon ——	une robe ——
	des pages ——	des livres ——
sévère :	une mère ——	notre professeur ——
	nos maîtres ——	mon directeur ——
tout :	— les jours	— la classe
	— les vaches	— le pain

V Répondez à ces questions. Remplacez les mots en italique par le pronom convenable (le, la, l', les).

(Exemple : Aimez-vous *l'histoire* ? Oui, je l'aime.)

(1) Aimez-vous *les mathématiques* ?
(2) Aimez-vous *le français* ?
(3) Voyez-vous *le chat* ?
(4) Voyez-vous *les enfants* ?
(5) Mangez-vous *les pommes* ?
(6) Mangez-vous *l'herbe* ?
(7) Finissez-vous *votre leçon* ?
(8) Est-ce que Marie-Claude aime *le dessin* ?

VI Vous retournez à l'école après les vacances. Faites la description de votre première journée.

A quelle heure arrivez-vous à l'école ?
Jouez-vous dans la cour ?
Parlez-vous à vos amis ?
Quelles leçons avez-vous ?
Quelles leçons aimez-vous ?
Quelles leçons n'aimez-vous pas ?
Mangez-vous à l'école ?
A quelle heure rentrez-vous à la maison ?

Note : These questions are given to help you. If you have other ideas of your own, use them. BUT do not think of some good ideas in English and try to put them into French. Think of all the French words you know connected with the subject and let these words suggest ideas you *can* express in French.

VII Répondez :

(1) Combien de semaines de vacances les enfants ont-ils en France ?
(2) Quand retournent-ils à l'école ?
(3) Combien de semaines de vacances avez-vous en été ?
(4) Pourquoi Jean-Paul n'est-il pas heureux ?
(5) Avez-vous le nez long ?
(6) De quelle couleur sont vos cheveux ?
(7) De quelle couleur sont vos yeux ?
(8) Pourquoi la mère des enfants est-elle fâchée ?

Les jours de la semaine

« Bonjour, lundi,
Comment va mardi ? »
« Très bien, mercredi. »
« Je viens de la part de jeudi,

Dire à vendredi,
Qu'il s'apprête samedi,
Pour aller à l'église dimanche. »

de la part de, on behalf of *qu'il s'apprête*, (that he is) to get ready

Petit dialogue

LA RENTRÉE DES CLASSES

MADAME LEFÈVRE : Eh bien ! mes enfants, demain c'est la rentrée des classes.

MARIE-CLAUDE : Bravo ! Je suis très contente. Je vais revoir Madeleine, Louise et toutes mes autres camarades.

JEAN-PAUL : Moi, je ne suis pas content. Je vais revoir monsieur Cartier qui a le nez long et de petits yeux noirs. Je n'aime pas la géographie. Je préfère le cinéma et le football.

MARIE-CLAUDE : Oh ! toi, tu ne travailles pas. Moi, j'aime beaucoup la géographie. Mademoiselle Morvaix est si intéressante !

MADAME LEFÈVRE : Avez-vous tous vos livres ?

JEAN-PAUL : Moi, non. Mon livre de géographie n'est pas avec les autres.

MADAME LEFÈVRE : Et tu ne me dis rien. Viens ici, Jean-Paul ! Comment ! Voilà ton pantalon déchiré ! Et tu n'as pas de boutons à ton veston ! Oh là, là, là, là, là ! Quel enfant !

JEAN-PAUL : Mon livre de mathématiques n'est pas là non plus.

MADAME LEFÈVRE (*elle parle à monsieur Lefèvre*) : Maurice, dis quelque chose à Jean-Paul ! (*Monsieur L. dort dans sa chaise. Il ronfle*) Oh ! quel homme ! (*Monsieur L. ronfle une seconde fois*)

Comment ! What ! *ne... rien*, nothing *ronfler*, to snore

LEÇON 2

AU BUREAU DE POSTE

Mathurin Lesueur travaille dans le bureau de poste d'une grande ville. Comme tous les autres employés il arrive au bureau tous les jours à huit heures et demie. Il a toujours beaucoup à faire. Il vend des timbres-poste et des mandats et il prend les lettres recommandées.

Un jour un jeune garçon va au comptoir de Mathurin. Mathurin voit à son veston que le jeune garçon est Anglais. Le jeune Anglais, Robert Brown, hésite un instant ; puis il demande :

— C'est combien pour envoyer une lettre en Angleterre, s'il vous plaît, monsieur ?

— Cinquante centimes, répond Mathurin.

— Et combien pour une carte postale ?

— Trente centimes, répond Mathurin.

— Eh bien ! donnez-moi deux timbres à cinquante centimes et quatre à trente centimes, s'il vous plaît.

Mathurin donne les timbres à Robert. Puis il dit :

— Vous parlez très bien le français.

Robert, encouragé, répond :

— Merci, monsieur. Je désire aussi envoyer ce colis.

Et il montre à Mathurin un colis postal. Il désire l'envoyer à sa mère.

— Allez à ce monsieur-là, dit Mathurin. (Il indique un autre employé.) Il prend les colis postaux.

Robert dit « Au revoir, monsieur », et il va à l'autre employé qui prend son colis et y met des timbres. Robert donne le prix des timbres au monsieur, dit au revoir et puis quitte le bureau, très content de sa première visite.

Grammar

I NOTE THESE PLURALS :

le bureau	les bureaux
le timbre-poste	les timbres-poste
le colis postal	les colis postaux
la carte postale	les cartes postales

II NOTE :

premier, *fem.* première

This adjective goes before the noun.

III CONTENT DE

De is sometimes used where we should put 'with' in English.

content *de* sa visite — pleased *with* his visit

IV CE MONSIEUR-LÀ that gentleman

To distinguish between a nearer person or thing and one further away the following method is used in French :

ce garçon-ci	this boy	*ce garçon-là*	that boy
cet homme-ci	this man	*cet homme-là*	that man

cette plume-ci	this pen	*cette plume-là*	that pen
ces maisons-ci	these houses	*ces maisons-là*	those houses

The *-ci* and *-là* are commonly omitted when only one person or thing is indicated.

V VOIR A

Note :

Mathurin *voit à* son veston que le jeune garçon est Anglais.
Mathurin sees *by* his jacket that the boy is English.

VI L'HEURE

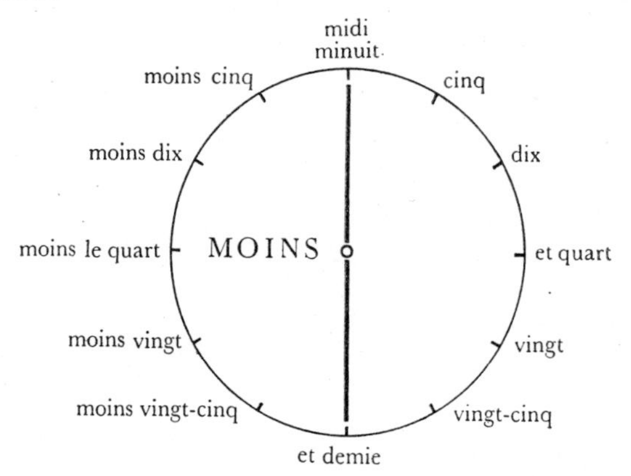

Quelle heure est-il ?

Il est une heure.

Il est une heure cinq.

Il est une heure et quart.

Il est une heure et demie.

Il est deux heures moins vingt-cinq.

Il est deux heures moins le quart.

Il est midi (minuit) et quart.

Il est midi (minuit) vingt.

Il est midi (minuit) et demi.

Il est midi (minuit) moins cinq.

VII REVISE THE PRESENT TENSE OF :

vendre, prendre, mettre, dire (pp. 188–94)

Vocabulaire

le bureau de poste, post office
le timbre-poste, postage stamp
le mandat, postal order
le colis, parcel, packet
un employé, a clerk
un instant, a moment
le franc, franc
le prix, price, prize
hésiter, to hesitate
plaire, to please
s'il vous plaît, (if you) please
une lettre recommandée, a registered letter
la visite, visit
comme, as, like
postal, *-e*, postal
merci, thank you
au revoir, goodbye
premier (fem. *première*), first
encourager, to encourage
encouragé, *-e*, encouraged
indiquer, to point out
y, on it (see p. 108)

Exercices

I Mettez (*a*) *le*, *la*, *l'* ou *les*
(*b*) *du*, *de la*, *de l'* ou *des*
(*c*) *ce*, *cet*, *cette* ou *ces*
(*d*) *au*, *à la*, *à l'* ou *aux* devant :

lettre	bureau	employés	franc	visite
jours	mère	villes	heure	timbres-poste

II Conjuguez :

Je réponds au monsieur, tu réponds au monsieur, etc.
Est-ce que je prends la lettre ? prends-tu la lettre ? etc.
Je ne mets pas mon chapeau, tu ne mets pas ton chapeau, etc.
Qu'est-ce que je vois ? qu'est-ce que tu vois ? etc.

III Mettez au négatif :

(Exemple : Je le vois. Je ne le vois pas)

(1) Je le vends.
(2) Robert les prend.
(3) L'employé la voit.

(4) Le professeur l'achète.
(5) Les employés les vendent.
(6) Le cheval me regarde.
(7) Mon petit frère m'admire.
(8) Je vous choisis.

IV Complétez les phrases suivantes :

(Exemple : A la ferme je vois un fermier, des vaches et une pompe.)

(1) Au marché j'achète ——
(2) Chez l'épicier j'achète ——
(3) Au café j'achète ——
(4) Au bureau de poste l'employé vend ——
(5) A la gare je vois ——
(6) Dans la salle de classe il y a ——
(7) Dans la cour nous voyons ——
(8) Dans la rue je vois ——

V Mettez-vous à la place de Robert et répondez aux questions suivantes :

(1) Pourquoi allez-vous au bureau de poste ?
(2) Que voyez-vous au bureau de poste ?
(3) Qui vend les timbres ?
(4) C'est combien pour envoyer une lettre en Angleterre ?
(5) Et c'est combien pour envoyer une carte postale ?
(6) Qu'est-ce que Mathurin vous dit ?
(7) Qu'est-ce que vous désirez envoyer à votre mère ?
(8) Qu'est-ce que l'autre monsieur met sur votre colis ?

VI Faites la description du bureau de poste.

VII Mettez au pluriel :

(1) L'employé vend le timbre-poste.
(2) Il arrive à son bureau à huit heures.
(3) Je ne vois pas la lettre.

(4) Elle met le colis sur le comptoir.
(5) Je suis content de ma visite.
(6) Tu prends ta lettre.
(7) Où est la bicyclette ?
(8) J'aime ce beau timbre bleu.

VIII Remplacez le tiret par l'adjectif convenable :

(1) Ce bureau de poste est très ——
(2) Aimez-vous ce veston ——
(3) J'écris une — lettre.
(4) Cette fleur est très ——
(5) Les vaches — mangent l'herbe ——
(6) Dans notre jardin nous avons de — arbres.
(7) Cette dame a les cheveux — et les yeux ——
(8) Ma sœur porte une — robe ——

IX Répondez :

(1) Où Mathurin Lesueur travaille-t-il ?
(2) A quelle heure arrive-t-il au bureau ?
(3) Qu'est-ce qu'il vend ?
(4) Prend-il les lettres recommandées ?
(5) Pourquoi Robert va-t-il au comptoir de Mathurin ?
(6) Qu'est-ce que Mathurin donne à Robert ?
(7) Écrivez-vous souvent des lettres ?
(8) Aimez-vous les timbres-poste français ?

Petit dialogue

AU BUREAU DE POSTE

(*Robert Brown et sa sœur Mary sont devant le comptoir d'un bureau de poste*)

ROBERT : Voilà : « Timbres ». Je vais demander à ce monsieur quels timbres on met sur une lettre pour l'Angleterre.

(*Il va au comptoir*)

EMPLOYÉ : Qu'est-ce que vous désirez ?

ROBERT : Pardon, monsieur. C'est combien pour envoyer une lettre en Angleterre ?
EMPLOYÉ : Cinquante centimes.
ROBERT : Et pour une carte postale, s'il vous plaît ?
EMPLOYÉ : Trente centimes.
ROBERT : Eh bien ! donnez-moi quatre timbres à cinquante centimes et six à trente centimes, s'il vous plaît.
(*L'employé lui donne les timbres*)
EMPLOYÉ : Voilà. Ça fait trois francs quatre-vingts centimes.
ROBERT : Merci, monsieur. (*Il lui donne l'argent*) Je veux aussi expédier ce colis, s'il vous plaît.
EMPLOYÉ : Allez à ce monsieur-là. C'est lui qui prend les colis.
ROBERT : Merci, monsieur. Au revoir.
EMPLOYÉ : Au revoir.
MARY : Je vais envoyer le colis.
ROBERT : Très bien. Bon courage ! (*Elle va au comptoir*)
MARY : Je désire envoyer ce colis, s'il vous plaît.
SECOND EMPLOYÉ : Très bien, mademoiselle. (*Il met le colis sur une balance*) Soixante-quinze centimes, mademoiselle.
MARY : Voilà, monsieur. (*Elle lui donne quatre-vingts centimes*)
SECOND EMPLOYÉ : Voilà, mademoiselle. Cinq centimes.
MARY : Merci, monsieur. Au revoir.
SECOND EMPLOYÉ : Au revoir, mademoiselle, merci.

on met, one puts
expédier, to send
cent, hundred
quatre-vingts, eighty
la balance, scales
c'est lui, it is he
soixante-quinze, seventy-five
lui, to him

LEÇON 3

LE TRÉSOR DU VIEUX CHÂTEAU

Jean Desmoulins est en vacances chez son oncle Émile, qui demeure dans un vieux château à la campagne. Jean aime ce vieux château qui a beaucoup de cachettes et de portes dérobées. L'oncle Émile dit aussi à Jean qu'il y a un trésor caché dans le vieux château.

Le premier soir Jean va à sa chambre et se couche à neuf heures et demie. Il est très fatigué, et après dix minutes il est endormi.

A minuit une tête se montre tout à coup à la fenêtre. C'est un homme masqué. Jean ne le voit pas parce qu'il est toujours endormi. Mais l'homme masqué ne voit pas Jean non plus. Il entre par la fenêtre et traverse la chambre à pas de loup. Il va au mur, met son revolver et sa torche électrique sur la petite table et cherche un bouton secret caché dans le mur.

Tout à coup Jean ouvre les yeux et voit l'homme masqué. Jean est un jeune homme intelligent et courageux. Il ne crie pas, mais il se lève en silence et traverse la chambre à pas de loup. Il va à la table, saisit le revolver et la torche électrique de l'homme masqué et crie :

— Haut les mains !

L'homme masqué lève les mains et Jean crie à son oncle :

— Au secours ! au secours !

Son oncle arrive vite avec des domestiques. Il téléphone à la police. Deux agents arrivent tout de suite et saisissent l'homme masqué.

Jean prend maintenant la torche et examine le mur. Il trouve bientôt le bouton caché. Il le pousse et une porte dérobée s'ouvre. Dans la cachette il y a une grande malle remplie de pièces d'or. C'est le trésor du vieux château !

Le lendemain l'oncle Émile achète une belle bicyclette rouge et la donne à Jean.

Grammar

I REFLEXIVE VERBS

In English we use expressions such as : 'I cut myself', 'you cut yourself', 'he cuts himself', etc. A verb used in this way is called *reflexive.* Verbs are used reflexively much more in French than in English. Below you will find the full present tense of a verb used reflexively. Notice very carefully the pronouns used in front of the verb.

SE COUCHER to lie down, go to bed

je me couche	I lie down
tu te couches	you lie down

il (elle) se couche	he (she) lies down
nous nous couchons	we lie down
vous vous couchez	you lie down
ils (elles) se couchent	they lie down

Negative	*Interrogative*
je ne me couche pas	est-ce que je me couche ?
tu ne te couches pas	te couches-tu ?
il (elle) ne se couche pas	se couche-t-il (-elle) ?
nous ne nous couchons pas	nous couchons-nous ?
vous ne vous couchez pas	vous couchez-vous ?
ils (elles) ne se couchent pas	se couchent-ils (-elles) ?

II SE LEVER to rise, to get up

Notice the persons where there is a grave accent.

je me lève	nous nous levons
tu te lèves	vous vous levez
il (elle) se lève	ils (elles) se lèvent

III OUVRIR to open

j'ouvre	nous ouvrons
tu ouvres	vous ouvrez
il (elle) ouvre	ils (elles) ouvrent

Note the reflexive use : *la porte s'ouvre*, the door opens.

IV ADJECTIVES

(*a*) *vieux*, old

un vieux château	une vieille dame
de vieux châteaux	de vieilles dames

This adjective is placed before the noun. It has a special form for use with masculine singular nouns beginning with a vowel sound :

un vieil âne un vieil homme

(*b*) *courageux*, brave. Note the feminine : *courageuse*.

V REMPLI DE

This means 'filled *with*' and is another case where *de* used after a verb means 'with'.

Vocabulaire

un oncle, an uncle
le château, castle
le trésor, treasure
le revolver, revolver
le bouton, button, switch
le (la) domestique, servant
un agent (de police), a policeman
le lendemain, next day
vieux (fem. *vieille*), old
dérobé, -e, secret, hidden
caché, -e, hidden
masqué, -e, masked
intelligent, -e, intelligent
courageux (fem. *courageuse*), brave
endormi, -e, asleep
la cachette, hiding-place
la torche électrique, electric torch
la police, police
la pièce d'or, gold coin
en silence, in silence
haut les mains ! hands up !
au secours ! help !
à pas de loup, stealthily
comment, how, what . . . like ?
se coucher, to lie down, go to bed
se lever, to get up
pousser, to push, press
se montrer, to appear
téléphoner, to telephone
ouvrir, to open
s'ouvrir, to open (see Grammar, III)

Exercices

I Mettez (*a*) *le, la, l'* ou *les*
(*b*) *ce, cet, cette* ou *ces*
(*c*) *du, de la, de l'* ou *des*
(*d*) *son, sa* ou *ses* devant :

police agents domestiques bouton pièces d'or
oncle bicyclette cachettes trésor revolver
torches châteaux

II Mettez au pluriel :

ce bouton du domestique cette cachette

à l'oncle	à la vieille dame	à l'agent
l'agent	à la bicyclette	de l'agent
	du jeune homme courageux	

III Conjuguez :

Je me lève à huit heures, tu te lèves à huit heures, etc.
A quelle heure est-ce que je me couche ? — te couches-tu ? etc.
Je ne vais pas à Paris, tu ne vas pas à Paris, etc.
Je ne me couche pas, tu ne te couches pas, etc.

IV Ajoutez l'adjectif à la forme convenable :

courageux :	une fillette ——	un homme ——
	des chiens ——	ces dames ——
vieux :	la — bicyclette	de — tantes
	de — chapeaux	une — maison
premier :	les — jours	la — semaine
	les — hommes	la — allumette
intelligent :	des chiens ——	une bonne ——
	des agents ——	un porteur ——
caché :	des revolvers ——	une bicyclette ——
	un trou ——	les valises ——

V Mettez au pluriel :

Je me lève.	Tu te lèves.	Il se lève.
L'agent se lève.	Elle se lève.	La fillette se lève.
Je me couche.	Tu te couches.	Il se couche.
Le chien se couche.	Elle se couche.	La vache se couche.

VI Mettez au singulier :

(1) Nous ne nous levons pas.
(2) Vous ne vous levez pas.
(3) Ils ne se lèvent pas.
(4) Les domestiques ne se lèvent pas.
(5) Elles ne se lèvent pas.

(6) Les fillettes ne se lèvent pas.
(7) Nous ne nous couchons pas.
(8) Vous ne vous couchez pas.
(9) Ils ne se couchent pas.
(10) Les taureaux ne se couchent pas.

VII Remplacez le tiret par l'adjectif possessif convenable :

mon, ma, mes :	— vacances	— oncle
	— soulier	— école
ton, ta, tes :	— torche	— bouton
	— malles	— château
son, sa, ses :	— valise	— revolver
	— trésor	— lunettes
notre, nos :	— domestique	— oncle
	— revolvers	— lettres
votre, vos :	— bouton	— mains
	— crayon	— dessins
leur, leurs :	— lait	— cachettes
	— château	— maison

VIII Faites la description d'une de vos journées.

A quelle heure vous levez-vous ?
Qu'est-ce que vous mangez au petit déjeuner ?
A quelle heure partez-vous pour l'école ?
A quelle heure arrivez-vous à l'école ?
Quelles leçons aimez-vous ?
A quelle heure rentrez-vous le soir ?
Que faites-vous à la maison le soir ?
A quelle heure vous couchez-vous ?

IX Répondez :

(1) Où demeure l'oncle de Jean ?
(2) A quelle heure Jean se couche-t-il ?
(3) Qui entre par la fenêtre ?
(4) Comment l'homme masqué traverse-t-il la chambre ?

(1,582)

3

(5) Où l'homme masqué met-il son revolver ?
(6) Quand Jean voit l'homme masqué est-ce qu'il crie ?
(7) Qui lève les mains ?
(8) Qui téléphone à la police ?
(9) Combien d'agents arrivent ?
(10) Qu'y a-t-il dans la cachette ?

Petit dialogue

L'HOMME MASQUÉ (*il examine le mur*) : Où donc est ce bouton secret ?

JEAN (*il se lève, traverse la pièce et prend le revolver*) : Haut les mains !

L'HOMME MASQUÉ (*il lève les mains*) : Diable !

JEAN : Au secours ! au secours !

(*L'oncle* ÉMILE *entre avec deux domestiques*)

L'ONCLE ÉMILE : Qu'y a-t-il donc ? Ah ! mon Dieu ! Un homme masqué ! Saisissez-le ! (*Les domestiques le saisissent par les bras*) (*A* JEAN, *qui prend la torche et examine le mur*) Que fais-tu, Jean ?

JEAN : J'examine ce mur. Je suis sûr qu'il y a un bouton secret. Ah ! oui, le voici.

L'ONCLE ÉMILE : Une cachette ! Qu'y a-t-il dedans ?

JEAN : Il y a une malle. (*Il l'ouvre*) Elle est remplie de pièces d'or.

L'ONCLE ÉMILE : Le vieux trésor est enfin retrouvé !

diable ! what the deuce !
qu'y a-t-il ? what is the matter ?
dedans, inside
retrouvé, -e, found

LEÇON 4

LE DÉPART

PERSONNAGES : Monsieur Robert Brunot
Madame Marianne Brunot (sa femme)
Henri, Maurice, Marceline (leurs enfants)
L'oncle Jacques
La tante Eugénie

SCÈNE : Le salon

(MADAME BRUNOT *met des vêtements dans une valise.* HENRI *lit un livre*)

MADAME B. : Henri ! (HENRI *ne répond pas*) Henri ! Laisse ton livre et écoute-moi !
HENRI (*il se lève*) : Pardon, maman. Ce livre est si intéressant.
MADAME B. : Sans doute ! Mais quelle heure est-il ?

HENRI (*il regarde la pendule*) : Neuf heures moins le quart.

MADAME B. : Neuf heures moins le quart ! Ton oncle et ta tante viennent à neuf heures moins cinq et le taxi vient à neuf heures. Où est ton papa ? Et que fait-il ?

HENRI : Il est dans la salle de bain. Il se rase.

MADAME B. : Quel homme ! Eh bien ! toi, Henri, viens ici et aide-moi à fermer cette valise.

HENRI (*il va à sa mère*) : Je vais m'asseoir sur la valise. (*Il s'assied*) Voilà !

MADAME B. (*elle ferme la valise à clef*) : Bon, elle est fermée.

(MAURICE *entre*)

MAURICE : Maman, voici mon maillot. Oh ! la valise est fermée !

MADAME B. : Cela ne fait rien. Je vais l'ouvrir. (*Elle l'ouvre*) Voilà ! Où est ton maillot ?

MAURICE : Voici, maman. (MADAME B. *met le maillot dans la valise*)

MADAME B. : Et maintenant je dois refermer la valise.

HENRI : Je vais m'asseoir sur la valise.

MAURICE : Et moi, je vais t'aider. (*Ils s'asseyent sur la valise*)

MADAME B. : Bon ! C'est fait ! Et maintenant, où est ta sœur Marceline ? Est-ce qu'elle nous attend ?

MAURICE : Elle est à la cuisine. Elle prépare les sandwichs.

MADAME B. : Oh ! là ! là ! là ! Les sandwichs ! Marceline ! Marceline ! (*Elle rouvre la valise*)

MARCELINE : Je viens, maman, je viens ! Voici les sandwichs !

(*Elle les met dans la valise.* MAURICE *et* MARCELINE *s'asseyent sur la valise.* MADAME B. *la referme*)

HENRI (*il regarde par la fenêtre*) : Voici oncle Jacques et tante Eugénie qui viennent.

MADAME B. : Henri, va vite chercher ton papa.

HENRI : J'y vais ! J'y vais ! (*Il quitte le salon*)

MADAME B. : Voilà ! La valise est fermée encore une fois.

(L'ONCLE *et* LA TANTE *viennent dans le salon*)

L'ONCLE J. : Bonjour, Marianne. Bonjour, mes enfants.

MADAME B. : Bonjour, Jacques.

MAU. *et* MAR. : Bonjour, mon oncle. Bonjour, ma tante.

LA TANTE E. : Bonjour, Marianne. Bonjour, mes enfants.

L'ONCLE J. : Neuf heures moins cinq ! Nous sommes à l'heure ! Où est donc Robert ?

MADAME B. (*elle met son chapeau*) : Il vient tout de suite. (MONSIEUR B. *entre. Il porte une serviette sur le bras. Son visage est blanc de savon*) Ah ! te voilà. Robert, nous t'attendons.

MONSIEUR B. : Eh ! mon Dieu, Marianne, où donc est mon rasoir ? Je le cherche partout.

MADAME B. : Oh ! là ! là ! là ! là ! là ! Il est dans la valise !

HENRI (*il regarde toujours par la fenêtre*) : Voilà le taxi dans la rue. Il nous attend.

MONSIEUR B. (*il essuie le savon avec la serviette*) : Vite, vite ! Où est mon faux col et où est ma cravate ?

MADAME B. (*elle tombe dans un fauteuil*) : DANS LA VALISE ! ! ! !

Grammar

I VENIR to come

je viens	I come, I am coming
tu viens	you come, you are coming
il vient	he comes, he is coming
elle vient	she comes, she is coming
nous venons	we come, we are coming
vous venez	you come, you are coming
ils viennent	they come, they are coming
elles viennent	they come, they are coming

Negative	*Interrogative*
je ne viens pas	est-ce que je viens ?
tu ne viens pas, etc.	viens-tu ? etc.

II S'ASSEOIR to sit down

je m'assieds	I sit down
tu t'assieds	you sit down
il s'assied	he sits down
elle s'assied	she sits down

nous nous asseyons	we sit down
vous vous asseyez	you sit down
ils s'asseyent	they sit down
elles s'asseyent	they sit down

Negative	*Interrogative*
je ne m'assieds pas	est-ce que je m'assieds ?
tu ne t'assieds pas, etc.	t'assieds-tu ? etc.

III PRONOUN OBJECTS

Learn by heart the following :

il me voit	he sees me
il te voit	he sees you
il le voit	he sees him (it)
il la voit	he sees her (it)
il nous voit	he sees us
il vous voit	he sees you
il les voit	he sees them
il les voit	he sees them (*fem.*)

IV QUEL what (*adjective*)

This is the interrogative adjective. It agrees in number and gender with the noun with which it is used. We have met it in the following questions :

Quel âge avez-vous ?	How old are you ?
De quelle couleur est le livre ?	What colour is the book ?

Note the plural forms :

Quels livres regardez-vous ? *Quelles fenêtres fermez-vous ?*

Notice also :

Quel homme !	What a man !
Quelle question !	What a question !

V PLURAL

Note : le faux col les faux cols

VI QUI VIENNENT

Voici Jacques et Eugénie *qui viennent.*
Here are James and Eugénie *coming.*

In French the relative pronoun *qui*, together with a verb, is often equivalent to a present participle in English.

Vocabulaire

le visage, face
le savon, soap
le rasoir, razor
le fauteuil, arm-chair
le faux col, collar
pardon, I beg your pardon
sans doute, no doubt
ici, here
encore une fois, once again
partout, everywhere
donc, then
à l'heure, on time

la serviette, towel
la clef, key
laisser, to leave
écouter, to listen (to)
venir, to come
s'asseoir, to sit down
se raser, to shave
fermer, to close, shut
fermer à clef, to lock
refermer, to shut again
rouvrir, to open again
essuyer, to wipe

il lit, he is reading
j'y vais, I am going
je dois, I must
cela ne fait rien, that doesn't matter

Exercices

1 Mettez (*a*) *le, la, l'* ou *les*
(*b*) *au, à la, à l'* ou *aux*
(*c*) *un, une* ou *des*
(*d*) *mon, ma* ou *mes*
(*e*) *quel, quels, quelle* ou *quelles* devant :

visage	valise	clefs	rasoir	serviettes
savon	vêtements	pendule	mains	enfants

II Conjuguez :

J'écoute mon père, tu écoutes ton père, etc.
Est-ce que je ferme la porte ? fermes-tu la porte ? etc.
Je ne me lève pas, tu ne te lèves pas, etc.

III Ajoutez l'adjectif à la forme convenable :

intéressant :	des livres ——	un homme ——
	une description ——	
beau :	le — visage	une — pendule
	de — rasoirs	
blanc :	du sucre ——	des souliers ——
	une serviette ——	
gros :	un — monsieur	de — livres
	une — poire	
vieux :	de — serviettes	une — clef
	de — messieurs	

IV Mettez au pluriel :

(1) Je viens tout de suite.
(2) Mon petit frère se couche à neuf heures.
(3) Ton domestique cherche la vieille clef.
(4) Où le porteur met-il la valise ?
(5) Je m'assieds près du cheval.
(6) Le vieil homme porte un veston bleu.
(7) L'agent voit la grosse malle près de l'arbre.
(8) Ma petite sœur écoute ce pêcheur.
(9) J'aide mon père dans son jardin.
(10) Ce renard est un animal rusé.

V Monsieur Brunot fait à madame Brunot les questions suivantes. Imaginez que vous êtes madame Brunot et répondez aux questions. Remplacez les mots en italique par les pronoms convenables (*le*, *la*, *l'*, *les*).

(1) *A la maison*

Est-ce que tu m'écoutes, Marianne ?
Est-ce que tu m'attends ?
Est-ce que les enfants t'aident ?
Est-ce que Jacques et Eugénie nous attendent ?
Est-ce que Jacques regarde *la pendule* ?
Est-ce que tu as *mon rasoir* ?
Est-ce que le taxi nous attend ?

(2) *A la gare*

Est-ce que Jacques achète *le journal* ?
Aimes-tu *ce compartiment* ?
Est-ce que ce monsieur nous regarde avec impatience ?
Est-ce que le porteur me remercie ?
Est-ce que les enfants mangent *les sandwichs* ?

VI Faites la description de votre salon.

(Votre salon est-il grand ou petit ? De quelle couleur sont les murs ? Combien de fenêtres y a-t-il ? Combien de portes y a-t-il ? Y a-t-il une pendule ? Où est-elle ? Y a-t-il une table ? De quelle couleur est-elle ? Avez-vous un piano au salon ? Faites-vous vos devoirs au salon ? Aimez-vous votre salon ? etc.)

VII Répondez :

(1) A quelle heure l'oncle et la tante viennent-ils ?
(2) A quelle heure le taxi vient-il ?
(3) Où est monsieur Brunot ?
(4) Que fait-il ?
(5) Qui aide madame Brunot à fermer la valise ?
(6) Où Maurice et Henri s'asseyent-ils ?
(7) Qui prépare les sandwichs ?
(8) De quelle couleur est le visage de monsieur Brunot ?
(9) Où est son rasoir ?
(10) Est-ce que monsieur Brunot est fâché ?

CHANSON

DANS LE JARDIN DE MON PÈRE

Dans le jar-din d'mon pè - re Les li - las sont fleu-
ris, Dans le jar-din d'mon pè - re Les
li - las sont fleu - ris. Tous les oi - seaux du
mon - de Vienn't y fai - re leurs nids.
REFRAIN
Au jardin d'mon pè - re Qu'il fait bon, fait bon s'as-seoir!
Au jardin d'mon pè - re Nous i-rons ce soir.

LEÇON 5

LA VISITE DU MÉDECIN

Il est sept heures et demie. Jean Dubonnet ne veut pas se lever parce qu'il ne veut pas aller à l'école. Notre jeune ami est très rusé et ce matin il a une bonne idée. Il va faire le malade.

Il ouvre la bouche et pousse un gémissement affreux. Sa mère vient vite et elle lui demande :

— Qu'as-tu, mon petit ?

Il lui répond :

— Maman, maman, je suis très malade.

Et il pousse un second gémissement.

Quand elle entend les gémissements de son fils, madame Dubonnet va tout de suite téléphoner au médecin. Le médecin arrive vite et va à la chambre de Jean. Quand Jean voit le médecin il commence à éternuer. Il éternue comme un éléphant malade.

Le médecin met son thermomètre dans la bouche de Jean et regarde le garçon avec attention. Quand le médecin regarde le thermomètre Jean oublie d'éternuer et regarde le médecin.

Le médecin voit que la température de Jean est normale, et, comme Jean, notre médecin est très rusé. Il ferme un œil, puis il regarde Jean et lui dit :

— Oui, mon garçon, tu es très, très malade. Mais je vais te donner un remède très spécial.

Sous les yeux du pauvre garçon il prépare un liquide noir et désagréable.

— Voilà, madame, dit-il à la mère de Jean ; deux grandes cuillerées toutes les quinze minutes.

Madame Dubonnet va à Jean et lui donne à boire une grande cuillerée du liquide. Jean commence à le boire. Il pousse un cri affreux.

— Qu'as-tu, mon petit ? lui demande sa mère.

— Je vais déjà mieux, lui répond-il. Je veux me lever tout de suite.

Le médecin regarde Jean. Il regarde sa mère. Puis il ferme un œil et leur dit :

— Deux grandes cuillerées toutes les quinze minutes, n'oubliez pas.

Grammar

I PRONOUN OBJECTS

Learn the following :

il me donne le livre	he gives me the book
il te donne le livre	he gives you the book
il lui donne le livre	he gives him the book
il lui donne le livre	he gives her the book
il nous donne le livre	he gives us the book
il vous donne le livre	he gives you the book
il leur donne le livre	he gives them the book
il leur donne le livre	he gives them the book

We have already met the pronouns *me*, *te*, *nous*, *vous*, used as *direct* objects in such sentences as *Il me voit*, *Il nous voit* (see page 24).

In the sentences given above the pronouns are used as indirect objects to *il donne*, and mean 'to me', 'to you', etc.
In the third person the direct object pronouns *le* and *la* are replaced by a different word, *lui* (to him, to her, to it), and *les* is replaced by *leur* (to them, *masc.* and *fem.*).

Now learn the following :

je lui réponds	je leur réponds
je lui demande	je leur demande
je lui téléphone	je leur téléphone
je lui parle	je leur parle
je lui envoie le sac	je leur envoie la clef

II VOULOIR to wish, want

je veux	nous voulons
tu veux	vous voulez
il veut	ils veulent
elle veut	elles veulent

Negative	*Interrogative*
je ne veux pas	est-ce que je veux ?
tu ne veux pas, etc.	veux-tu ? etc.

III BOIRE to drink

je bois	nous buvons
tu bois	vous buvez
il boit	ils boivent
elle boit	elles boivent

Negative	*Interrogative*
je ne bois pas	est-ce que je bois ?
tu ne bois pas, etc.	bois-tu ? etc.

IV OUBLIER DE

mon père oublie de répondre my father forgets to reply

Before an infinitive, *oublier* takes *de*.

Vocabulaire

le (*la*) *malade*, invalid, patient
le gémissement, groan
le médecin, doctor
un éléphant, an elephant
le thermomètre, thermometer
le remède, cure, medicine
le liquide, liquid
le cri, cry, yell
vouloir, to wish, want
oublier, to forget
éternuer, to sneeze
téléphoner, to telephone
faire le malade, to pretend to be ill
une idée, an idea
la température, temperature
la cuillerée, spoonful
malade, sick, ill
normal, *-e*, normal
spécial, *-e*, special
désagréable, unpleasant
pauvre, poor
second, *-e*, second
mieux, better (adverb)
déjà, already
avec attention, carefully
toutes les quinze minutes, every fifteen minutes

qu'as-tu ? what is the matter with you ?

Exercices

I Mettez (*a*) *le*, *la*, *l'* ou *les*
(*b*) *au*, *à la*, *à l'* ou *aux*
(*c*) *ce*, *cet*, *cette* ou *ces*
(*d*) *quel*, *quelle*, *quels* ou *quelles* devant :

matin	idées	gémissement	éléphant	liquide
cris	malades	température	cuillerée	médecin

II Conjuguez :

Je veux manger, tu veux manger, etc.
Je n'éternue pas, tu n'éternues pas, etc.
Est-ce que je me couche ? te couches-tu ? etc.
Je ne bois pas le remède, tu ne bois pas le remède, etc.

III Ajoutez l'adjectif à la forme convenable :

malade :	des chiens ——	un épicier ——
	cette femme ——	cet enfant ——
beau :	un — médecin	un — matin
	de — fleurs	de — éléphants

petit :	ces — garçons	les — éléphants
	une — cuillerée	de — maisons
désagréable :	une bonne ——	ces hommes ——
	le domestique ——	des cousins ——

IV Remplacez les mots en italique par le pronom convenable (lui, leur).

(1) Je donne le livre *au petit garçon.*
(2) Je donne le livre *à la fillette.*
(3) Jean répond *à sa mère.*
(4) Nous envoyons des lettres *à nos amis.*
(5) Le professeur parle *aux élèves.*
(6) Henri dit « Non » *à sa sœur.*
(7) L'éclaireur téléphone *à l'agent de police.*
(8) Le chat parle *aux chiens.*
(9) Je ne parle pas *aux enfants.*
(10) L'élève ne répond pas *à son professeur.*

V Mettez au singulier :

(1) Nous leur envoyons des tableaux.
(2) Vous leur parlez.
(3) Nos amis écrivent les lettres.
(4) Les bons remèdes sont souvent désagréables.
(5) Les belles automobiles vont vite.
(6) Nous n'aimons pas ces hommes désagréables.
(7) Allons-nous aux champs aujourd'hui ?
(8) Ces allumettes ne sont pas rouges.

VI Imaginez que vous êtes la mère de Jean. Répondez aux questions suivantes et remplacez les mots en italique par le pronom convenable.

(1) Est-ce que Jean ouvre *la bouche* ?
(2) Entendez-vous *ses gémissements* ?
(3) Est-ce que vous téléphonez *au médecin* ?
(4) Le médecin regarde-t-il *Jean* avec attention ?
(5) Est-ce que le médecin vous donne le remède ?
(6) Donnez-vous le remède *à Jean* ?
(7) Est-ce que Jean l'aime ?

VII Faites la description de la chambre de Jean.

VIII Répondez à ces questions :

(1) Est-ce que Jean est malade ?
(2) Qu'est-ce que sa mère lui demande ?
(3) Qui téléphone au médecin ?
(4) Quand Jean voit le médecin que fait-il ?
(5) Qui ferme un œil ?
(6) De quelle couleur est le liquide ?
(7) Qu'est-ce que madame Dubonnet donne à boire à Jean ?
(8) Jean aime-t-il le remède ?

Petit dialogue

Conversation au téléphone

MADAME D. (*elle prend le récepteur et le met à son oreille*) : Allô ! mademoiselle, allô ! Donnez-moi, s'il vous plaît, Montparnasse zéro, quatre, trente-huit. (*Elle attend une minute*) Allô ! allô ! Je veux parler à monsieur le docteur, s'il vous plaît.

DOCTEUR : C'est le docteur qui parle.

MADAME D. : Bonjour, docteur. C'est madame Dubonnet qui vous parle.

DOCTEUR : Bonjour, madame Dubonnet. Et que désirez-vous ?

MADAME D. : C'est Jean qui est très malade. Il éternue beaucoup et il pousse des gémissements affreux.

DOCTEUR : A-t-il de la température ?

MADAME D. : Je ne sais pas, docteur. Mais il est très malade.

DOCTEUR : C'est sans doute un rhume. Je viens tout de suite, madame.

MADAME D. : Merci, docteur, merci. Au revoir.

DOCTEUR : Au revoir, madame.

le récepteur, receiver
le rhume, cold
Montparnasse, a district in Paris
je ne sais pas, I do not know

REVISION EXERCISES

LESSONS 1–5

I Mettez (*a*) *le, la, l'* ou *les*
(*b*) *du, de la, de l'* ou *des*
(*c*) *au, à la, à l'* ou *aux*
(*d*) *ce, cet, cette* ou *ces*
(*e*) *quel, quelle, quels* ou *quelles* devant :

boutons	lettre	police	pièces d'or	homme
éléphant	travail	cachette	visage	prix
arbres	idée	médecins	châteaux	lendemain

II Conjuguez :

Je préfère mon livre, tu préfères ton livre, etc.
Je ne viens pas au concert, tu ne viens pas au concert, etc.
En été je me lève à sept heures, en été tu te lèves, etc.
Est-ce que je veux ouvrir le colis ? veux-tu ouvrir le colis ? etc.
Je m'assieds à ma place, tu t'assieds à ta place, etc.

III Ajoutez l'adjectif à la forme convenable :

premier :	ma — leçon	les — jours
	nos — promenades	
heureux :	une petite fille ——	les jours ——
	nos mères ——	
vieux :	un — âne	de — arbres
	les — lettres	un — chapeau
mon, ma, mes :	— chère tante	— amie Claire
	— maître de géographie	— souliers noirs
son, sa, ses :	— école	— nouvelle amie
	— livre d'histoire	— histoire
votre, vos :	— oreille gauche	— yeux noirs
	— pantalon déchiré	— vacances de Noël

IV Mettez au temps présent les verbes suivants :

préférer	dormir	venir
ouvrir	se lever	

V Mettez les verbes précédents à la forme interrogative.

VI Donnez la forme féminine des adjectifs suivants :

gentil	gris	sec
gros	bon	petit
beau	blanc	jaune
joli	large	bleu

VII Mettez au pluriel :

(1) L'éléphant éternue en hiver.
(2) Le malade n'aime pas le remède désagréable.
(3) Le domestique apporte une tarte énorme.
(4) J'aime une poire quand j'ai soif.
(5) Le taureau déchire le pantalon du fermier.
(6) L'enfant de votre ami ne va pas à l'école.
(7) Le médecin donne un liquide désagréable au petit garçon.
(8) Te couches-tu quand tu es fatigué ?
(9) Je m'assieds sur un arbre tombé.
(10) Je vais voir mon amie parce qu'elle est malade.

VIII Faites des questions sur l'image, page 21, et répondez aux questions en français.

IX Répondez aux questions suivantes et remplacez les mots en italique par les pronoms convenables :
(Exemple : Qui donne le livre *à Henri* ? Son père lui donne le livre.)

(1) Qui donne les cahiers *au professeur* ?
(2) Qui donne *les poires* à Marie ?

(3) Qui donne le chocolat *à Claire* ?
(4) Répondez-vous *à votre mère* ?
(5) Prêtez-vous votre crayon *à votre voisin* ?
(6) Qui montre *la fenêtre cassée* au professeur ?
(7) Est-ce que la mère donne *le remède* à son fils ?
(8) Prête-t-elle sa bicyclette *à sa sœur* ?
(9) Montre-t-il *ses fleurs* à ses amis ?
(10) Qui donne les glaces *aux enfants* ?

x Répondez :

(1) A quelle heure vous levez-vous en été ?
(2) A quelle heure vous couchez-vous en hiver ?
(3) A quelle heure ton père part-il pour la gare ?
(4) A quelle heure arrive-t-il à son bureau ?
(5) Est-ce que les fleurs viennent au printemps ?
(6) De quelle couleur sont les feuilles en été ?
(7) De quelle couleur sont les feuilles en automne ?
(8) Que faites-vous quand vous êtes malade ?
(9) Que fait votre mère quand vous êtes malade ?
(10) Que fait le médecin quand vous êtes malade ?

JEU

Coquelicot

The numbers *un*, *deux*, etc., are counted rapidly round the class, but each time a seven occurs in a number, the pupil who should give that number says *Coquelicot* instead. Multiples of seven (14, 21, 28, etc.) may be included to make the game more difficult.

LEÇON 6

L'ARBRE DE NOËL

(MONSIEUR *et* MADAME BONNARD *et leurs deux enfants*, HENRI *et* MARIE, *sont au salon*)

HENRI : Il fait froid ce soir. Je ne veux pas sortir. Qu'est-ce que nous allons faire ?

MAMAN : J'ai une grande surprise pour vous, mes enfants. Ce soir, nous allons décorer l'arbre de Noël.

HENRI : Hourra !

MARIE : Décorer l'arbre de Noël ! Quelle bonne idée ! Mais où est-il ?

MAMAN : Il est dans un coin du jardin. C'est un très bel arbre.

PAPA : Oui, formidable !

HENRI : Allons tout de suite le voir, Marie !

MARIE : Oui, allons-y tout de suite !

MAMAN : Rapportez-le maintenant si vous voulez. (*Les enfants quittent le salon*) L'arbre de Noël leur donne toujours un plaisir énorme.

PAPA : Oui, formidable ! (*Les enfants rentrent*)

MARIE : Le voici !

MAMAN : Mettez-le dans ce coin.

HENRI : Il est épatant.

MARIE : Oui. Papa choisit toujours très bien. Je vais lui donner un gros baiser. (*Elle lui donne un baiser*)

HENRI : Et maintenant décorons-le ! Où est ce beau papier rouge, maman ? Je vais le mettre autour du seau.

MAMAN : Il est sur la table. Et toi, Marie, attache les petites bougies.

HENRI : Voilà ! Et maintenant les clochettes qui sont si jolies. Où sont-elles, maman ? Je ne les vois pas.

MAMAN : Elles sont dans la salle à manger.

(HENRI *va les chercher*)

MARIE : Je vais chez les Durand leur demander de nous prêter leur belle étoile argentée... seulement pour ce soir.

(HENRI *rentre. Il attache les clochettes*)

HENRI : Notre arbre va être épatant.

PAPA : Oui, formidable ! (MARIE *rentre*)

MARIE : Voici l'étoile des Durand. Je vais leur rapporter leur étoile demain. (*Elle l'attache*)

HENRI : Rouges, bleues, vertes, jaunes ! Elles sont jolies, les clochettes.

MARIE : Oui, je les aime beaucoup. Et l'étoile aussi.

PAPA : Oui, formidable ! (*Le chat entre. Il va à l'arbre et le flaire*)

HENRI : Regardez Minet qui admire notre arbre. Joli, n'est-ce pas, Minet ?

MINET : Miaou ! (*Il grimpe sur l'arbre*)

HENRI : Regardez ! Il monte au sommet.

MARIE : Il mange une bougie !

MAMAN : Cela va lui donner une indigestion.

PAPA : Ha ! ha ! Oui, formidable !

Grammar

I FAIRE (referring to the weather)

Notice the use of *il fait* to describe the weather. Learn the following expressions :

il fait froid	it is cold
il fait chaud	it is warm
il fait beau	it is fine
il fait noir (nuit)	it is dark

II IMPERATIVE : FIRST PERSON PLURAL

Note the following forms which are used when we ' order ' ourselves to do something (English ' let us —').

allons	let us go	*mangeons*	let us eat

III PRONOUN OBJECTS : POSITION WITH THE IMPERATIVE

Mettez-le au coin.	Put it in the corner.
Décorons-le.	Let us decorate it.

In the negative, however, the position of the object is as in the following examples :

Ne le mettez pas au coin.	Do not put it in the corner.
Ne le décorons pas.	Do not let us decorate it.

IV CELA

Cela (colloquially *ça*) is used for ' that ' :

(*a*) when we refer to a thing without having mentioned its name, e.g. *Mettez cela sur la table*, Put that on the table.

(*b*) when we refer not to a thing, but to an action or an idea, e.g. *Cela ne fait rien*, That doesn't matter.

V UN BEL ARBRE

Before masculine words beginning with a vowel sound *bel* is used and not *beau*. (Compare the use of *vieil.*)

VI LES DURAND

In French the plural of surnames is expressed by *les* followed by the surname in the singular.

VII MON PETIT

In French an adjective is often used as a noun.
E.g. *un pauvre*, a poor man *le grand*, the tall boy (man)

Vocabulaire

un arbre de Noël, a Christmas tree
le plaisir, pleasure
le baiser, kiss
le papier, paper
le sommet, top
froid, -e, cold
chaud, -e, warm
formidable, wonderful (colloquial)
énorme, enormous
épatant, -e, marvellous (colloquial)
autour, round
si, so (with adjective)
seulement, only
la surprise, surprise
la clochette, small bell
la bougie, candle
une étoile, a star
une indigestion, indigestion
sortir, to go out (like *partir*)
décorer, to decorate
rapporter, to bring back
prêter, to lend
attacher, to fasten, fix
grimper (sur), to climb
monter, to go up
argenté, -e, silver (*adj.*)

Exercices

I Mettez (*a*) *le, la, l'* ou *les*
(*b*) *du, de la, de l'* ou *des*
(*c*) *ce, cet, cette* ou *ces*
(*d*) *au, à la, à l'* ou *aux*
(*e*) *quel, quelle, quels* ou *quelles* devant :

plaisir	surprise	sommets	baisers	papier
indigestion	clochettes	étoile	bougies	arbres

II Mettez (*a*) *autour du (de la, de l', des)*
(*b*) *près du (de la, de l', des)* devant :

sommet	arbre	classe	chaise	table
clochette	bougies	seau	villes	gare

III Conjuguez :

Je lui prête la bougie, tu lui prêtes la bougie, etc.
Je leur donne un gros os, tu leur donnes un gros os, etc.
Je ne sors pas aujourd'hui, tu ne sors pas aujourd'hui, etc.
Est-ce que je grimpe sur l'arbre ? grimpes-tu sur l'arbre, etc.

IV Remplacez les mots en italique par un pronom.

Exemples : Décorez *l'arbre*. — Décorez-le.
Mangeons *les poissons*. — Mangeons-les.

Décorez *la maison*.
Regardez *l'étoile*.
Attrapons *la balle*.
Attachons *le cheval*.
Donnons *les chevaux* à Henri.
Mangez *le repas*.
Prenez *les clochettes*.
Lançons *les pierres*.
Traversez *le pont*.
Mangeons *les pommes*.

V Mettez au pluriel :

(1) Je ne veux pas sortir.
(2) Cet arbre est très beau.
(3) La fillette prend une clochette.
(4) Le chat blanc ne grimpe pas sur l'arbre.
(5) Ma bougie est bleue.
(6) Admire-t-il le chapeau de sa sœur ?
(7) Tu te lèves à huit heures cinq.
(8) Je lui donne mon étoile.

VI Remplacez les mots en italique par *lui* ou *leur*.

Exemples :

Je donne le livre *à Marie*. — Je lui donne le livre.
Je donne le livre *aux enfants*. — Je leur donne le livre.

(1) Mon frère prête son livre *à Maurice*.
(2) Nous prêtons nos crayons *à nos voisins*.
(3) Vous répondez *au professeur*.
(4) Le perroquet parle *au chat*.

(5) Nous disons bonjour *aux pêcheurs.*
(6) Michel demande du chocolat *à son père.*
(7) La bonne emprunte une robe *à Marianne.*
(8) Vous montrez vos malles *aux porteurs.*

VII Mettez-vous à la place de Marie. Répondez aux questions.

(*a*) Remplacez les mots en italique par les pronoms *le, la, les.*

(1) Où mettez-vous *l'arbre* ?
(2) Qui met *le beau papier rouge* autour du seau ?
(3) Admirez-vous *la belle étoile argentée* ?
(4) Aimez-vous *les clochettes* ?
(5) Est-ce que le chat flaire *l'arbre* ?

(*b*) Remplacez les mots en italique par les pronoms *lui, leur.*

(1) Donnez-vous un gros baiser *à votre père* ?
(2) Est-ce que vous empruntez une étoile *aux Durand* ?
(3) Quand allez-vous rapporter cette étoile *aux Durand* ?
(4) Est-ce que la bougie va donner une indigestion *au chat* ?
(5) Donnez-vous souvent du lait *à votre chat* ?

VIII Imaginez que vous êtes le chat. Faites la description de votre aventure avec la bougie.

(Entrez-vous au salon ? Voyez-vous le père ? — la mère ? — les enfants ? Que voyez-vous au coin ? Aimez-vous les beaux arbres ? Qu'y a-t-il sur cet arbre ? Pourquoi grimpez-vous sur l'arbre ? Que mangez-vous ? Aimez-vous les bougies ? Est-ce que cette bougie vous donne une indigestion ?)

IX Répondez aux questions suivantes :

(1) Fait-il froid aujourd'hui ?
(2) Qui a une grande surprise pour les enfants ?
(3) Où les enfants mettent-ils l'arbre de Noël ?
(4) Qu'est-ce que Marie demande aux Durand ?
(5) De quelle couleur sont les clochettes ?

(6) Quel animal entre dans le salon ?
(7) Que fait-il ?
(8) Que dit la mère ? Et le père que dit-il ?

CHANSON

SAINTE NUIT

p
(ten.)
(ten.)
Dou - ce nuit, Sain - te nuit, Dans_ le ciel
tout_ re-luit Cet - te nuit,_ mon - de - péch-eur,
A vu naî - tre ton_ Sauveur Cet-te nu-it su-prê-
me_ te_ do-nne un Sau - veur._

2

Dans les airs, dans les airs,
Quels accents, quels concerts,
C'est le chœur des bienheureux,
Paix sur la terre et gloire aux cieux,
Oui, paix sur la terre, gloire dans les cieux.

3

Doux Sauveur, bon Sauveur,
Viens régner sur mon cœur.
Fais-y, prince de la paix,
Ta demeure pour jamais,
Fais-y ta demeure, ô Christ, à jamais !

LEÇON 7

LE JEUNE PRESTIDIGITATEUR

Aujourd'hui c'est le grand concert à l'école de Marcel Leblanc, et Marcel va faire des tours de prestidigitation.

D'abord il y a des élèves qui chantent et qui jouent du piano. Marcel est impatient, mais enfin le grand moment arrive, et voilà Marcel, derrière sa petite table, prêt à faire ses tours.

Pour commencer, Marcel tire des rubans rouges de sa bouche, de ses oreilles, de son nez. Tous les spectateurs rient et l'applaudissent.

Puis il invite un petit garçon à venir l'aider. Il prend un chapeau énorme et le lui donne. Du chapeau il tire des lapins blancs, des mouchoirs verts, et enfin une grosse boîte de chocolats.

Marcel remercie le petit garçon, et puis il prend la boîte de chocolats et la lui donne. Les spectateurs l'applaudissent.

— Tu me la donnes ? lui demande le petit garçon.

— Mais, oui, lui répond Marcel.

Enfin vient le grand tour, où le prestidigitateur casse une montre en mille morceaux et puis la retrouve intacte.

Marcel a une vieille montre de son père. Il fait semblant de la casser. Puis il dit « Abracadabra ! » et tire la montre de son œil gauche. Tous les spectateurs l'applaudissent.

Puis Marcel invite un des spectateurs à lui prêter une montre.

Le directeur, qui est très content, prend sa montre et la lui prête. Marcel la place sur la table.

Marcel invite un garçon à venir l'aider. Claude Maigret, un très méchant garçon, va à la table et prend tout de suite la montre.

Il la jette à terre et fait une petite danse sur la montre.

Tous les petits garçons applaudissent, mais le directeur est frappé d'horreur. Marcel aussi ! Claude rit beaucoup et lui dit :

— Maintenant, fais ton tour !

Marcel voit vite que c'est la vieille montre de son père qui est cassée. Il prend tous les morceaux, les met dans le chapeau, crie « Abracadabra ! » et tire la montre du directeur de l'oreille droite de Claude.

Claude est fâché, mais les spectateurs applaudissent, surtout le directeur, quand Marcel prend sa montre et la lui donne, intacte.

Grammar

I ORDER OF PRONOUN OBJECTS BEFORE THE VERB

The simplest way of remembering the order of pronouns before the verb is to learn some examples by heart. The following gives us a complete list :

il me le donne	he gives it to me
il te le donne	he gives it to you
il le lui donne	he gives it to him
il le lui donne	he gives it to her
il nous le donne	he gives it to us
il vous le donne	he gives it to you
il le leur donne	he gives it to them
il le leur donne	he gives it to them

Note particularly that *le* goes before *lui* and *leur.*
La and *les* occupy the same position as *le* in the examples given above, e.g.

il me la donne	il la lui donne	il vous la donne
il te les donne	il les lui donne	il nous les donne

II JETER to throw

Note the double *t* before an unsounded *e* :

je jette	nous jetons
tu jettes	vous jetez
il jette	ils jettent
elle jette	elles jettent

III RIRE to laugh

je ris	nous rions
tu ris	vous riez
il rit	ils rient
elle rit	elles rient

IV JOUER to play

Note : *jouer du piano* (musical instruments), but *jouer au football, jouer aux cartes* (games).

V INVITER A

Before an infinitive the verb *inviter* takes *à*, e.g.

J'invite mon ami à venir. Nous l'invitons à rester.

VI PLURAL

Note : le morceau, les morceaux

Vocabulaire

le concert, concert
le tour, trick, turn
le ruban, ribbon
le spectateur, spectator
le lapin, rabbit
la prestidigitation, conjuring
la montre, watch
la danse, dance
la terre, earth, ground
tirer, to pull (draw, take) out

le mouchoir, handkerchief	*applaudir*, to applaud
le prestidigitateur, conjurer	*inviter*, to invite
le directeur, headmaster	*casser*, to break
le morceau, piece	*faire semblant (de)*, to pretend
méchant, -e, bad, naughty	*retrouver*, to find (again)
intact, -e, intact, whole	*jeter à terre*, to throw down
cassé, -e, broken	*rester*, to stay

en mille morceaux, into a thousand pieces

Exercices

I Mettez (*a*) *au, à la, à l'* ou *aux*
(*b*) *du, de la, de l'* ou *des*
(*c*) *ce, cet, cette* ou *ces* devant :

montre	concert	spectateur	prestidigitateur
ruban	danse	lapin	mouchoir
directeurs	tours	terre	morceaux

II Conjuguez :

Je ne jette pas la balle, tu ne jettes pas la balle, etc.
J'applaudis le tour, tu applaudis le tour, etc.
Je le lui prête, tu le lui prêtes, etc.

III Ajoutez l'adjectif à la forme convenable :

rouge :	des mouchoirs ——	un ruban ——
	le visage ——	la terre ——
cassé :	un bras ——	des montres ——
	des bouteilles ——	cette assiette ——
beau :	les — rubans	de — lapins
	de — montres	une — dame

IV Ajoutez l'adjectif possessif à la forme convenable :

mon, ma, mes :	— directeur	— rubans
	— montre	— montres
son, sa, ses :	— lapins	— spectateurs
	— danse	— tour

notre, nos : — mouchoirs — tante
— terre — directeur

V Exercice oral. Mettez au négatif :

Marcel est impatient.
Il invite un petit garçon à l'aider.
Les spectateurs rient.
Ils prennent la montre.
Tu donnes le lapin au petit garçon.
Nous applaudissons.
Vous riez.
Sa mère joue bien.
Applaudissez.
Je viens.

VI Remplacez les mots en italique par le pronom convenable (le, la, les) :

(1) Je lui donne *le livre.*
(2) Le fermier nous prête *les allumettes.*
(3) Il me prête *le ruban.*
(4) Le directeur lui donne *sa montre.*
(5) Henri leur envoie *la lettre.*
(6) Vous lui envoyez *les bonbons.*
(7) Vous lui envoyez *le paquet.*
(8) Nous vous prêtons *les bicyclettes.*

VII Remplacez les mots en italique par le pronom convenable (lui, leur) :

(1) Je les donne *à Henri.*
(2) Vous les envoyez *à vos amis.*
(3) Vous les prêtez *au professeur.*
(4) Mon père le donne *aux pêcheurs.*
(5) Nous la donnons *aux élèves.*
(6) Les agents les donnent *au jeune homme.*
(7) Qui la prête *au professeur* ?
(8) Notre tante la prête *à ses voisins.*

VIII Mettez-vous à la place de Marcel Leblanc. Répondez aux questions suivantes et remplacez les mots en italique par le pronom convenable :

(1) Est-ce que vous tirez *les rubans* de votre bouche ?
(2) Est-ce que tous les spectateurs *vous* applaudissent ?
(3) Invitez-vous *le petit garçon* à venir à la petite table ?

(4) Est-ce que vous lui donnez *le chapeau énorme* ?
(5) Est-ce que vous le remerciez ?
(6) Est-ce que vous lui donnez *la grosse boîte de chocolats* ?
(7) Est-ce que monsieur le directeur *vous* prête *sa montre* ?
(8) Est-ce que Claude Maigret jette *la montre* à terre ?
(9) Mettez-vous *tous les morceaux* dans votre chapeau ?
(10) Tirez-vous *la montre* de l'oreille droite de Claude ?

IX Répondez :
(1) Qu'est-ce que Marcel va faire au concert ?
(2) Que font les spectateurs ?
(3) Qu'est-ce que Marcel tire du chapeau ?
(4) Est-ce que Marcel casse la vieille montre de son père ?
(5) D'où Marcel tire-t-il la vieille montre ?
(6) Qui est très content ?
(7) Qu'est-ce que le directeur prête à Marcel ?
(8) Que fait Claude Maigret ?
(9) Qui n'est pas content ?
(10) D'où Marcel tire-t-il la montre du directeur ?

Petit monologue

LE PRESTIDIGITATEUR : Regardez-moi, s'il vous plaît. De la main droite je prends un œuf. De la main gauche je prends un chapeau. Je dis « Abracadabra » et voilà !... l'œuf n'est pas dans le chapeau. Je mets le chapeau sur ma tête. « Abracadabra ! » Je tire l'œuf de mon oreille gauche. (*Les spectateurs applaudissent*) Maintenant, qui veut m'aider à répéter ce tour ? (*Un petit garçon va à la table*) Merci, monsieur. Maintenant, prenez ce chapeau. Bon ! Regardez ! Je mets l'œuf dans le chapeau. Mettez le chapeau sur votre tête, s'il vous plaît.

LE PETIT GARÇON (*met le chapeau et crie*) : Aïe ! (*Il ôte le chapeau. L'œuf est cassé. Le jaune de l'œuf coule sur son visage et dans ses yeux*) Mille pardons, monsieur ! C'est un accident ! (*Tous les spectateurs applaudissent*)

répéter, to repeat — *ôter*, to take off — *couler*, to flow

LEÇON 8

LE PIQUE-NIQUE

(*Mercredi, à neuf heures du soir.* MADAME ROUSSET *et ses trois enfants* ANDRÉ, RICHARD *et* LOUISETTE, *sont au salon.*)

MADAME R. : Qu'est-ce que vous allez faire demain, le premier jour des vacances ?

ANDRÉ : Nous avons organisé un pique-nique et nous avons invité des amis à venir avec nous. Moi, j'ai invité Charles Lemarre. Sa mère tient la confiserie près de l'école, et elle fait de superbes gâteaux.

RICHARD : Moi, j'ai invité Jean Carol. Il va prendre des photographies de notre pique-nique. Son oncle lui a donné un kodak la semaine passée... un très bon appareil.

MADAME R. : Et toi, Louisette ? As-tu invité une de tes amies ?

LOUISETTE : Bien sûr, maman, j'ai invité Odette.

ANDRÉ : Nous allons partir à neuf heures.

MADAME R. : Et où allez-vous faire ce pique-nique ?

ANDRÉ : Nous allons au vieux château, sur la colline, près de Chamvert. Tu nous as parlé de ce château, que tu as si souvent visité avec papa.

(*Jeudi, à neuf heures et demie du matin. La même famille est à la cuisine*)

MADAME R. : Viens, Louisette, tu as oublié de boire ton café, et tu n'as pas mangé ton petit pain.

LOUISETTE : Je n'ai pas faim, maman, et j'ai perdu le billet de cinq francs que papa m'a donné ce matin.

RICHARD : Regarde Bijou sous la table. Que mange-t-il ? C'est un morceau de papier.

LOUISETTE : Oh ! c'est mon billet. Méchant Bijou ! Qu'as-tu fait ? Bijou ! Bijou ! voici un biscuit. (*Elle prend le papier*) Il n'a pas mangé mon billet.

ANDRÉ : Louisette, es-tu prête ? J'ai regardé dans la rue et j'ai vu Odette qui vient. (ODETTE *arrive ; elle porte un grand panier*)

LOUISETTE : Ah ! te voici, Odette. Qu'est-ce que tu as apporté ? Richard ! André ! Venez ici ! Regardez ! Odette a apporté des tartes aux fraises et du jambon pour les sandwichs.

(CHARLES *arrive*)

CHARLES : Bonjour, madame Rousset. Est-ce que les autres sont prêts ?

ANDRÉ : Qu'est-ce que tu caches derrière le dos ? Ah ! quelle surprise ! Une bouteille de grenadine. Quand nous faisons un pique-nique nous avons toujours soif. (JEAN *arrive*)

MADAME R. : Bonjour, Jean. André m'a dit que vous avez un bon appareil.

JEAN : Oui. Mon oncle me l'a donné. Le voici.

MADAME R. : Quel bel appareil ! Vous allez faire de belles photographies.

LOUISETTE : Dépêchons-nous ! Nous allons manquer l'autobus. Qu'est-ce qu'il y a dans ce paquet que tu as apporté, Jean ? Il est très lourd.

JEAN : Oh ! c'est une boîte de poires. Ma mère a dit que ce fruit est très rafraîchissant, surtout quand on a chaud.

MADAME R. : Ta mère est très gentille.

ANDRÉ : Enfin, nous sommes prêts. Nous n'avons rien oublié. Au revoir, maman. (*Ils sortent*)

Grammar

I THE PERFECT TENSE

The past tense in French, as used in conversation, is called the perfect (*le parfait*). The perfect tense is formed by adding the past participle (*donné*, *apporté*, *vu*, etc.) to the present tense of *avoir*.

The past participles of the regular verbs are :

-er verbs	donné, mangé, parlé, trouvé, cherché, etc.
-ir verbs	fini, saisi, choisi, applaudi, etc.
-re verbs	vendu, perdu, répondu, attendu, etc.

Here are the past participles of other verbs we have met :

avoir : eu	dire : dit	ouvrir : ouvert
être : été	rire : ri	vouloir : voulu
faire : fait	mettre : mis	écrire : écrit
voir : vu	prendre : pris	courir : couru
	boire : bu	

Here is the perfect tense of a verb given in full :

PARLER to speak

j'ai parlé	I have spoken, I spoke
tu as parlé	you have spoken, you spoke
il a parlé	he has spoken, he spoke
elle a parlé	she has spoken, she spoke
nous avons parlé	we have spoken, we spoke
vous avez parlé	you have spoken, you spoke
ils ont parlé	they have spoken, they spoke
elles ont parlé	they have spoken, they spoke

Negative	*Interrogative*
je n'ai pas parlé	ai-je parlé ?
tu n'as pas parlé	as-tu parlé ?
il n'a pas parlé	a-t-il parlé ?
elle n'a pas parlé	a-t-elle parlé ?
nous n'avons pas parlé	avons-nous parlé ?
vous n'avez pas parlé	avez-vous parlé ?
ils n'ont pas parlé	ont-ils parlé ?
elles n'ont pas parlé	ont-elles parlé ?

The interrogative forms *est-ce que j'ai parlé*, *est-ce que tu as pris*, *est-ce que nous avons mangé*, etc., are commonly used as alternatives to the interrogative forms given on page 53.

II POSITION OF THE ADVERB

Note the position of the adverbs (*souvent*, *déjà*) in these examples :

J'ai *souvent* vu   Il a *déjà* parlé

III AVOIR SOIF, AVOIR FAIM, AVOIR CHAUD, AVOIR FROID

We have already met *avoir peur* (to be afraid). Note also these expressions :

J'*ai* soif.	I *am* thirsty.
Henri *a* chaud.	Henry *is* warm.
Nous *avons* faim.	We *are* hungry.
Avez-vous froid ?	*Are* you cold ?

IV NE... RIEN nothing

Learn these sentences :

Je ne vois rien.	I see nothing.
Il n'a rien pris.	He has taken nothing.
Nous n'avons rien oublié.	We have forgotten nothing.
N'avez-vous rien mangé ?	Have you not eaten anything ?

Ne... rien is used in the same way as *ne... pas*.

V ADJECTIVE

Note : gentil, *fem.* gentille

VI PLURAL

le gâteau   les gâteaux

We are now familiar with this plural form and can say : All nouns ending in *-eau* form their plurals by adding *-x*. Note also :

le pique-nique   les pique-niques

Vocabulaire

le pique-nique, picnic
le gâteau, cake
un appareil, a camera
le petit pain, roll
le billet, note
le panier, basket
le jambon, ham
le parfait, perfect tense
bien sûr, of course
passé, *-e*, past, last
cent, hundred
superbe, superb
lourd, *-e*, heavy
rafraîchissant, *-e*, refreshing
gentil (fem. *gentille*), nice
ne... rien, nothing
cacher, to hide
la confiserie, confectioner's shop
la photographie, photograph
la colline, hill
la faim, hunger
la soif, thirst
la tarte, tart
la fraise, strawberry
la grenadine, grenadine (fruit cordial)
apporter, to bring
organiser, to arrange
se dépêcher, to hurry
avoir chaud, to be warm
avoir froid, to be cold
perdre, to lose
tenir (like *venir*), to hold, keep

Exercices

I Mettez (*a*) *le*, *la*, *l'* ou *les*
(*b*) *du*, *de la*, *de l'* ou *des*
(*c*) *ce*, *cet*, *cette* ou *ces*
(*d*) *son*, *sa* ou *ses* devant :

pique-nique	confiserie	billet	francs	jambon
photographie	appareil	gâteaux	papiers	tartes

II Conjuguez :
J'oublie ce livre, tu oublies ce livre, etc.
J'ai prêté un crayon au professeur, tu as prêté un crayon, etc.
Ai-je manqué l'autobus ? as-tu manqué l'autobus ? etc.

III Ajoutez l'adjectif à la forme convenable :

superbe :	un — gâteau	de — photographies
	des chevaux ——	
gentil :	un — petit garçon	de — enfants
	de — petites filles	

rafraîchissant :	un vin ——	des fruits ——
	l'eau ——	
beau :	de — photographies	un — pique-nique
	de — jambons	un — arbre

IV Mettez au négatif :

Il a oublié son appareil.
Ils ont pris des photographies.
Elle a apporté des gâteaux.
Ils ont perdu leurs billets.
Vous avez vu le château.
J'ai invité mon ami.
Nous avons manqué le train.
Elle lui a donné ces fleurs.
Tu as pris ton café.
Je vous ai souvent dit.

V Mettez au pluriel :

(1) Je t'ai prêté mon livre.
(2) Elle m'a montré sa photographie.
(3) As-tu vu son lapin ?
(4) Je n'ai pas invité notre ami.
(5) A-t-il fini ses devoirs ?
(6) A-t-elle trouvé son billet de cinq francs ?
(7) Je lui ai souvent écrit.
(8) Il n'a pas oublié d'inviter ses amis.
(9) Il a caché la bouteille.
(10) As-tu mangé le gâteau ?

VI Mettez au singulier :

(1) Ont-ils organisé un pique-nique ?
(2) Ils nous ont prêté leur appareil.
(3) Avez-vous vu mes billets ?
(4) Nous avons couru à la gare.
(5) Avez-vous manqué le train ?
(6) Ont-ils invité leur oncle ?
(7) Où avez-vous mis mes lettres ?
(8) Nous n'avons pas caché vos gâteaux.
(9) Elles ont eu soif.
(10) Ils ne nous ont pas montré leur école.

VII Mettez le verbe au parfait :

(1) Je mange une tarte aux fraises.
(2) Il fait des photographies.
(3) Nous organisons souvent un pique-nique.
(4) Joue-t-elle du piano ?
(5) Elle me prête sa bicyclette.
(6) Il n'écrit pas ses lettres.
(7) Lui donnez-vous un billet de cinq francs ?
(8) Pourquoi riez-vous ?
(9) Est-ce qu'il répond à vos questions ?
(10) Est-ce qu'ils voient leurs amis au marché ?

VIII Mettez-vous à la place d'André et répondez aux questions suivantes :

Avez-vous organisé un pique-nique ? — Qui avez-vous invité ? — Où allez-vous ? — Qu'est-ce que vous allez manger et boire ? — Allez-vous prendre le train ou l'autobus à Chamvert ? — A quelle heure allez-vous partir ? — A quelle heure allez-vous prendre un repas ? — Qui a invité Odette ? — Qu'est-ce qu'Odette a apporté ? — Qu'est-ce que vous avez oublié ?

IX Faites la description de l'image à la page 51.

X Répondez :

(1) Est-ce que les enfants ont organisé un pique-nique ?
(2) Qui a invité Charles Lemarre ?
(3) Qui a donné un kodak à Jean ?
(4) Qui a perdu un billet de cinq francs ?
(5) Est-ce que Bijou a mangé le billet ?
(6) Avez-vous souvent soif ?
(7) Quand vous avez soif, que buvez-vous — du vin, du lait, du café ou de la limonade ?
(8) Avez-vous souvent faim ?
(9) Quand vous avez faim, que mangez-vous ?
(10) Quand votre chat a faim, que mange-t-il ?

CHANSON

IL PLEUT, BERGÈRE

Il pleut, il pleut, ber - gè - re, Pres - se tes blancs mou-
tons; Ren - trons à ma chau - miè - re,
Ber - gè - re, vite, al - lons
J'en-tends sur le feuil-
la - ge L'eau qui tombe à grand bruit
Voi-
ci, voi - ci l'o ra - ge, Voi - là l'é-clair qui luit.

2

Entends-tu le tonnerre
Qui gronde en approchant ?
Prends un abri, bergère,
A ma droite en marchant.
Je vois notre cabane,
Et tiens ! voici venir
Ma mère et ma sœur Anne,
Qui vont l'étable ouvrir.

3

Bonsoir, bonsoir, ma mère !
Ma sœur Anne, bonsoir !
J'amène ma bergère
Près de vous pour ce soir.
Va te sécher, ma mie,
Auprès de nos tisons.
Sœur, tiens-lui compagnie.
Entrez, petits moutons.

LEÇON 9

APRÈS LE PIQUE-NIQUE

(*Jeudi, à sept heures du soir. La famille* Rousset *est au salon*)

Madame R. : Est-ce que vos amis sont rentrés ?

Louisette : Oui, maman.

Madame R. : Eh bien ! dites-moi ce que vous avez fait. Est-ce que vous vous êtes bien amusés ?

André : Bien sûr, maman. Nous comprenons maintenant pourquoi papa et toi aimez ce château dans les collines.

Richard : Nous avons pris l'autobus et nous sommes arrivés à Chamvert à dix heures.

Louisette : Et puis nous avons pris le sentier qui va au petit lac.

Madame R. : Ah ! vous êtes allés au lac ?

Louisette : Oui. Nous nous sommes reposés sous les arbres près de l'eau, et après Charles et André se sont baignés. L'eau de ce lac est très froide. Moi, je ne me suis pas baignée. Je n'aime pas l'eau froide.

Richard : Nous nous sommes couchés au soleil et ensuite nous avons déjeuné.

Madame R. : Vous avez eu assez à manger, n'est-ce pas ?

André : Oui, maman. Nous avons mangé tous les sandwichs d'abord, et puis les tartes et les gâteaux.

MADAME R. : Et la boîte de poires ?

RICHARD : Ne me parle pas des poires ! Nous avons oublié d'apporter un ouvre-boîte.

MADAME R. : Quel dommage ! Vous avez bu toute la grande bouteille de grenadine, sans doute ?

LOUISETTE : Je suis allée à un ruisseau chercher de l'eau. Moi, j'aime beaucoup d'eau avec la grenadine. Mais nous avons oublié d'apporter un tire-bouchon.

MADAME R. : Mon Dieu ! Vous n'avez rien bu alors ?

ANDRÉ : Si, maman. Charles a cassé le col de la bouteille avec une pierre.

MADAME R. : J'espère que vous n'avez pas avalé de morceaux de verre ! Est-ce que Jean a pris beaucoup de photographies ?

RICHARD : Oui, mais il a oublié de mettre la pellicule dans l'appareil !

MADAME R. : Oh ! là ! là ! quel dommage ! Mais vous êtes tous rentrés sans accident, je l'espère ?

ANDRÉ : Oui. Mais Jean a déchiré son pantalon, Odette est tombée dans le lac, et moi j'ai laissé mon maillot et ma serviette dans l'autobus. Tout de même nous nous sommes bien amusés.

Grammar

I THE PERFECT TENSE WITH ÊTRE

Most French verbs use the present tense of *avoir* in forming the perfect tense (see Lesson 8).

A few common verbs, however, use *être* to form their perfect tense, e.g. :

ARRIVER to arrive

je suis arrivé(e)	I have arrived, I arrived
tu es arrivé(e)	you have arrived, you arrived
il est arrivé	he has arrived, he arrived
elle est arrivée	she has arrived, she arrived
nous sommes arrivé(e)s	we have arrived, we arrived
vous êtes arrivé(e)(s)	you have arrived, you arrived
ils sont arrivés	they have arrived, they arrived
elles sont arrivées	they have arrived, they arrived

Negative	*Interrogative*
je ne suis pas arrivé(e)	suis-je arrivé(e) ?
tu n'es pas arrivé(e)	es-tu arrivé(e) ?
il n'est pas arrivé	est-il arrivé ?
elle n'est pas arrivée	est-elle arrivée ?
nous ne sommes pas arrivé(e)s	sommes-nous arrivé(e)s ?
vous n'êtes pas arrivé(e)(s)	êtes-vous arrivé(e)(s) ?
ils ne sont pas arrivés	sont-ils arrivés ?
elles ne sont pas arrivées	sont-elles arrivées ?

Here are some of the verbs which use *être* :

aller	je suis allé(e)	venir	je suis venu(e)
arriver	je suis arrivé(e)	partir	je suis parti(e)
entrer	je suis entré(e)	sortir	je suis sorti(e)
monter	je suis monté(e)	descendre	je suis descendu(e)
tomber	je suis tombé(e)	rester	je suis resté(e)
rentrer	je suis rentré(e)	retourner	je suis retourné(e)

Most of these verbs denote a general movement of a person or thing from one place to another, and are called *verbs of motion*. They do not include verbs like *courir*, to run, *marcher*, to walk, and *voyager*, to travel, which indicate more precisely how a general movement is carried out.

Note that in the perfect tense of all verbs using *être* the past participle agrees with the subject.

e.g. il est parti — mes amis sont venus
elles sont sorties — notre sœur est tombée

Where the subject is of mixed gender the past participle takes the masculine form, e.g. :

Henri et Marie sont arrivés.

Reflexive verbs always use the present tense of *être*, e.g. :

SE BAIGNER to bathe

je me suis baigné(e)	I have bathed, I bathed
tu t'es baigné(e)	you have bathed, you bathed
il s'est baigné	he has bathed, he bathed
elle s'est baignée	she has bathed, she bathed
nous nous sommes baigné(e)s	we have bathed, we bathed
vous vous êtes baigné(e)(s)	you have bathed, you bathed
ils se sont baignés	they have bathed, they bathed
elles se sont baignées	they have bathed, they bathed

Negative	*Interrogative*
je ne me suis pas baigné(e)	me suis-je baigné(e) ?
tu ne t'es pas baigné(e), etc.	t'es-tu baigné(e) ? etc.

II ESPÉRER to hope

Note the accents :

j'espère	nous espérons
tu espères	vous espérez
il espère	ils espèrent
elle espère	elles espèrent

III NUMBERS 60–100

60 soixante	79 soixante-dix-neuf
61 soixante et un	80 quatre-vingts
62 soixante-deux	81 quatre-vingt-un
63 soixante-trois	82 quatre-vingt-deux
69 soixante-neuf	89 quatre-vingt-neuf
70 soixante-dix	90 quatre-vingt-dix
71 soixante et onze	91 quatre-vingt-onze
72 soixante-douze	99 quatre-vingt-dix-neuf
73 soixante-treize	100 cent
75 soixante-quinze	101 cent un

IV SI yes

When contradicting a statement or question in the negative *si* is used for ' yes,' e.g.

Votre frère n'est pas venu. Si, il est au jardin.

Vocabulaire

le sentier, path	*la pellicule*, film (for camera)
un ouvre-boîte, a tin-opener	*se baigner*, to bathe
le tire-bouchon, cork-screw	*s'amuser*, to have a good time
le ruisseau, stream	*comprendre*, to understand
le col, neck (of bottle)	*se reposer*, to rest
un accident, an accident	*revenir*, to come back, return
quel dommage ! what a pity !	*espérer*, to hope
ce que, what	*avaler*, to swallow
assez, enough	*tout de même*, all the same
alors, then	*si*, yes (when contradicting)

Exercices

I Mettez (*a*) *le, la, l'* ou *les*
(*b*) *du, de la, de l'* ou *des*
(*c*) *au, à la, à l'* ou *aux* devant :

photographies pellicule ruisseaux autobus jambon
bicyclettes tire-bouchon châteaux sentier boîtes

II Conjuguez :

Je suis descendu, tu es descendu, etc.
Je me suis couché, tu t'es couché, etc.
Suis-je sorti lundi matin ? es-tu sorti lundi matin ? etc.

III Remplacez le tiret par l'adjectif convenable :

beau : un — appareil ; de — photographies ; de — arbres
gros : une — bouteille ; de — boîtes ; de — poissons
bleu : une bicyclette —— ; des oiseaux —— ; de l'eau ——
blanc : ma casquette —— ; des papiers —— ; le billet ——

IV Mettez au pluriel :

L'enfant a apporté le gâteau.
A-t-il mangé le petit pain ?
Tu as oublié ta pellicule.
Ai-je mangé ma poire ?
Où a-t-il mis son sandwich ?
L'élève a pris la bouteille.
Où as-tu mis le chocolat ?
J'ai cassé le col de la bouteille.
Le fermier a eu un accident.
Tu n'as pas apporté l'appareil.

V Mettez au pluriel :

(1) Elle s'est baignée.
(2) Je suis arrivé lundi matin.
(3) Le train est parti.
(4) Est-ce que tu t'es amusé ?
(5) Tu es allé au champ.
(6) Le pêcheur est tombé dans le ruisseau.
(7) Est-ce que le petit garçon s'est couché ?
(8) Mon professeur est rentré à cinq heures.

VI Mettez au singulier :

(1) Nous avons pris le train.
(2) Vous êtes arrivés aux magasins.
(3) Les vaches sont entrées dans la gare.
(4) Nos pères ont fumé leurs pipes.
(5) Ils ont pris des photographies.
(6) Où est-ce que vous êtes allés ?
(7) Est-ce que les enfants sont partis ?
(8) Avez-vous pris le petit sentier à droite ?
(9) A quelle heure sommes-nous arrivés ?
(10) Nous n'avons pas mangé les gâteaux.

VII Mettez au parfait :

(1) Jean prend une photographie.
(2) Ma mère déjeune à une heure.
(3) Henri ne mange pas son biscuit.
(4) Porte-t-il un pantalon ?
(5) Vous fumez votre pipe.
(6) Maurice met son maillot.
(7) Nous mangeons des oranges.
(8) Les vendeuses vendent des maillots.
(9) Qui a soif ?
(10) Le fermier marche devant le taureau.

VIII Mettez au parfait :

Je me couche.
L'autobus part.
Nous nous baignons.
Marceline se repose.
J'entre dans la salle.

Vous arrivez à dix heures.
Est-ce que vous vous baignez ?
Richard se lève à huit heures.
Les taxis arrivent devant la maison.
Où est-ce que Mimi se baigne ?

IX Mettez-vous à la place de Louisette Rousset et répondez aux questions suivantes :

(1) A quelle heure êtes-vous partie, Louisette ?
(2) Avez-vous pris l'autobus ou le train ?
(3) Êtes-vous allée au lac ?

(4) Est-ce que vous vous êtes baignée ?
(5) Est-ce que Charles et André se sont baignés ?
(6) Avez-vous eu soif ?
(7) Êtes-vous allée chercher de l'eau ?
(8) Êtes-vous tombée dans le lac ?
(9) Avez-vous vu beaucoup de poissons dans l'eau ?
(10) Avez-vous parlé aux poissons ?
(11) Qui a déchiré son pantalon ?
(12) Qui a cassé le col de la bouteille ?

x Faites la description de l'image à la page 59.

xi Répondez :

(1) Où est-ce que les enfants sont allés ?
(2) Ont-ils pris le train ou l'autobus ?
(3) Où est-ce qu'ils se sont reposés ?
(4) Qui ne s'est pas baigné ?
(5) Qu'est-ce que les enfants ont eu à manger ?
(6) Est-ce que les enfants ont eu soif ?
(7) Qu'est-ce qu'ils ont oublié d'apporter ?
(8) Sont-ils rentrés sans accident ?
(9) Qui est tombé dans l'eau ?
(10) Se sont-ils bien amusés ?

Passage à apprendre par cœur

Ce matin je me suis levé à sept heures. Je suis allé dans la salle de bain et je me suis lavé. Je suis descendu et je suis entré dans la salle à manger où j'ai pris mon petit déjeuner. Je suis sorti de la maison et je suis parti pour l'école où je suis arrivé à huit heures et demie. Je suis resté à l'école trois heures. Puis je suis rentré à la maison et je suis monté à ma chambre.

se laver, to wash (oneself)

LEÇON 10

LA CIGALE ET LA FOURMI

Vous savez, n'est-ce pas, qu'en France, comme en Angleterre, les nuits d'hiver sont longues et les jours sont souvent froids ? Voici l'histoire d'une pauvre cigale qui a oublié cela.

Nous sommes maintenant en automne, et notre amie, la cigale, est très triste. Pendant l'été elle n'a pas travaillé et maintenant elle n'a rien à manger.

« Pourquoi n'a-t-elle pas travaillé ? » dites-vous.

Eh bien ! elle n'a pas travaillé parce que les jours ont été longs et beaux, et elle a trouvé facilement beaucoup à manger. Tous les jours elle a chanté, du matin au soir.

Maintenant, hélas ! tout est différent. L'automne est venu, l'hiver va bientôt arriver, et alors, frsssst ! les nuits vont être longues et les jours vont être froids. Notre cigale va avoir faim.

Elle cherche partout de la nourriture. Les feuilles, brunes et rouges, sont tombées des arbres. La cigale ne voit rien à manger. Elle regarde le ciel. Il est gris. La neige va venir bientôt.

La cigale est bien fatiguée, parce qu'elle a marché pendant des heures. Elle s'assied sur une feuille tombée et elle est sur le point de pleurer quand, heureusement, elle voit sa voisine, la fourmi.

La cigale lui dit donc :

— Voulez-vous me prêter du grain, ma chère ? Je promets de vous le payer au printemps.

Mais la fourmi ne veut rien prêter. Elle sait que la cigale n'a pas travaillé, et elle lui demande :

— Qu'est-ce que vous avez fait pendant l'été, mon amie ?

— J'ai chanté, lui répond tristement la cigale.

— Vous avez chanté ? lui dit la fourmi, sévèrement. Eh bien ! dansez maintenant !

Grammar

I EN FRANCE, EN ANGLETERRE

With names of countries the word *en* is generally used for ' in ' and ' to,' e.g.

Je vais en France.	I am going to France.
Je suis en France.	I am in France.

Note that the definite article is not used with *en*.

II SEASONS

Note : *en* été, *en* automne, *en* hiver, but : *au* printemps.

En is similarly used with the months of the year, e.g. *en janvier*, *en juillet*.

III SAVOIR to know

Present	*Negative*
je sais	je ne sais pas
tu sais	tu ne sais pas, etc.
il (elle) sait	
nous savons	*Interrogative*
vous savez	sais-je ?
ils (elles) savent	sais-tu ? etc.

Perfect	*Negative*
j'ai su	je n'ai pas su
tu as su	tu n'as pas su, etc.
il (elle) a su	
nous avons su	*Interrogative*
vous avez su	ai-je su ?
ils (elles) ont su	as-tu su ? etc.

IV ADJECTIVE

Note the forms :

masc. sing.	*gris*	fem. sing.	*grise*
masc. plur.	*gris*	fem. plur.	*grises*

V FORMATION OF ADVERBS

In English, we form adverbs by adding *-ly* to adjectives (e.g. quick, quickly). In French, adverbs are formed by adding *-ment* to the feminine form of adjectives, e.g.

heureux (*masc.*), heureuse (*fem.*) — heureusement
facile (*masc.* and *fem.*) — facilement

There are exceptions to this rule, and they will be pointed out as they occur.

Vocabulaire

l'hiver, winter
l'automne, autumn
l'été, summer
la nuit, night
une histoire, a story
la cigale, cicada, grasshopper

le printemps, spring	*la nourriture*, food
le ciel, sky	*la fourmi*, ant
le grain, corn	*promettre*, to promise (like *mettre*)
gris, -e, grey	*danser*, to dance
facilement, easily	*payer*, to pay, to pay for
sévèrement, severely	*heureusement*, fortunately
pendant, during, for	*sur le point de*, on the point of

Exercices

I Mettez (*a*) *le, la, l'* ou *les*
(*b*) *du, de la, de l'* ou *des*
(*c*) *ce, cet, cette* ou *ces* devant :

nourriture	histoires	printemps	fourmis	cigale
hiver	grain	nuit	ciel	été

II Conjuguez :

En été j'ai chanté, en été tu as chanté, etc.
Au printemps je n'ai pas travaillé, au printemps tu n'as pas travaillé, etc.
Je ne suis pas venu en hiver, tu n'es pas venu en hiver, etc.
En automne je me couche à neuf heures, en automne tu te couches..., etc.

III Ajoutez l'adjectif à la forme convenable :

gris :	une maison ——	des chapeaux ——
	le chat ——	des portes ——
sec :	des vêtements ——	du grain ——
	des assiettes ——	une route ——
vieux :	une — cigale	de — fourmis
	de — chats	un — arbre
dangereux :	une rue ——	des surprises ——
	des chevaux ——	un ruisseau ——

IV Mettez au pluriel :

(1) La nuit a été longue.
(2) Le jour a été froid.
(3) Tu as chanté en été.
(4) La cigale est venue.
(5) Je suis tombé de l'arbre.
(6) Elle a vu sa voisine.
(7) La cigale lui a demandé du grain.
(8) Le fermier m'a donné une allumette.
(9) Tu t'es baigné à neuf heures et demie.
(10) A quelle heure es-tu arrivé ?

V Mettez au singulier :

(1) Au printemps nous nous sommes souvent baignés.
(2) A quelle heure est-ce qu'ils se sont baignés ?
(3) Est-ce que vos pères sont arrivés ?
(4) Les pêcheurs ont pris des poissons.
(5) Les fillettes sont déjà parties.
(6) Est-ce que vous avez acheté des maillots ?
(7) Les fourmis ont beaucoup travaillé.
(8) Les cigales n'ont pas travaillé.
(9) Nos fils sont descendus à la plage.
(10) Où avez-vous mis les sandwichs ?

VI Exercice oral. Mettez au négatif :

(1) J'ai chanté.
(2) Mon ami est venu.
(3) J'ai attrapé des poissons.
(4) L'hiver est venu.
(5) André est parti.
(6) Je me suis levé à huit heures.
(7) Les enfants sont tombés dans l'eau.
(8) Vous avez mis le livre dans mon sac.
(9) Louisette m'a donné deux sandwichs.
(10) Nous nous sommes levés à sept heures.

VII Mettez au parfait :

(*a*) Un jour la cigale a faim. Elle cherche partout de la nourriture, mais elle ne trouve rien. Elle va chez sa voisine, la fourmi, et elle lui demande du grain. La fourmi ne lui donne pas de grain, parce que la cigale ne travaille pas.

(*b*) Je travaille beaucoup. Ma voisine, la cigale, ne travaille pas. Je me lève tous les jours à six heures et je travaille. Je ne chante pas, mais je travaille. Ma voisine, la cigale, est stupide. Elle se lève très tard et elle chante, mais elle ne travaille pas. Son père et sa mère sont stupides aussi. Ils se reposent, ils mangent et ils chantent, mais ils ne travaillent pas. Zut !

VIII Imaginez que vous êtes la fourmi et répondez aux questions suivantes :

(1) Madame la Fourmi, demeurez-vous en France ou en Angleterre ?
(2) Est-ce que vous avez travaillé pendant l'été ?
(3) Et votre voisine, madame la Cigale, a-t-elle travaillé ?
(4) Qu'est-ce qu'elle a fait ?
(5) Est-ce qu'elle est venue vous voir ?
(6) Est-ce qu'elle vous a demandé du grain ?
(7) Est-ce que vous lui avez donné du grain ?
(8) Aimez-vous votre voisine ?
(9) A quelle heure vous levez-vous en été ?
(10) A quelle heure vous levez-vous en automne ?
(11) A quelle heure vous couchez-vous en hiver ?
(12) A quelle heure vous couchez-vous en automne ?

IX Il est cinq heures du soir. Qu'est-ce que vous avez fait aujourd'hui ?

(A quelle heure vous êtes-vous levé ?
Qu'est-ce que vous avez mangé au petit déjeuner ? etc.)

x Répondez :

(1) Est-ce que les nuits d'hiver sont longues ou courtes ?
(2) Qui n'a pas travaillé pendant l'été ?
(3) Pourquoi n'a-t-elle pas travaillé ?
(4) Qu'est-ce qu'elle a fait ?
(5) Tout est différent maintenant. Pourquoi ?
(6) La cigale, que cherche-t-elle partout ?
(7) Pourquoi est-elle fatiguée ?
(8) La fourmi ne veut rien lui prêter. Pourquoi ?
(9) Demeurez-vous en Angleterre ou en France ?
(10) Est-ce que les garçons jouent au football en hiver ou en été ?
(11) Est-ce que les feuilles tombent des arbres au printemps ou en automne ?
(12) Quand les oiseaux reviennent-ils en Angleterre ?

Petit dialogue

LA CIGALE (*assise sur une feuille*) : Hélas ! qu'est-ce que je vais faire ? J'ai faim et je n'ai rien à manger.

LA FOURMI : Bonjour, madame. Il fait froid, n'est-ce pas ? Mais vous avez l'air bien triste.

LA CIGALE : Oui. C'est parce que je n'ai rien à manger. J'ai cherché partout, et je n'ai rien trouvé.

LA FOURMI : C'est dommage.

LA CIGALE : Pouvez-vous me prêter quelque chose jusqu'au printemps ?

LA FOURMI : Hum ! Qu'est-ce que vous avez fait pendant l'été ?

LA CIGALE : J'ai chanté.

LA FOURMI : Vous avez chanté ? Eh bien ! dansez maintenant !

vous avez l'air, you look
pouvez-vous ? can you ?
jusqu'au printemps, till spring

REVISION EXERCISES

LESSONS 6-10

I Mettez (*a*) *du*, *de la*, *de l'* ou *des*
(*b*) *au*, *à la*, *à l'* ou *aux*
(*c*) *ton*, *ta* ou *tes*
(*d*) *quel*, *quelle*, *quels* ou *quelles* devant :

arbre de Noël	gâteaux	appareil	panier	histoire
clochettes	bougie	concert	billets	danse
spectateur	lapins	étoile	montre	grain

II Conjuguez :

Je sais pourquoi je ris, tu sais pourquoi tu ris, etc.
Ne me suis-je pas réveillé ? ne t'es-tu pas réveillé ? etc.
Mon amie est sortie, ton amie est sortie, etc.
Mon père m'a acheté une bicyclette, ton père t'a acheté..., etc.

III Mettez au temps présent les verbes suivants :

espérer jeter savoir rire faire

IV Mettez au temps parfait les verbes suivants :

donner finir attendre se baigner descendre

V Mettez au temps parfait à la forme négative :

parler saisir perdre se coucher partir

VI Mettez les verbes en italique au temps parfait :

Marie *se lève* à sept heures et demie. Elle *prend* le petit déjeuner et *part* pour l'école à huit heures et demie. Elle *arrive* à l'école à neuf heures moins le quart. A l'école elle *travaille* ferme. Ses camarades *travaillent* ferme aussi. A midi tous les élèves *partent* pour la maison. Ils *mangent* leur déjeuner et ils *repartent* pour l'école. Moi, je *suis* malade et je ne *vais* pas à l'école. Je *reste* au lit et j'*écoute* la radio.

VII Mettez au pluriel :

(1) Le prestidigitateur fait un tour superbe.
(2) Un spectateur applaudit le tour.
(3) Le méchant garçon casse la montre.
(4) J'aime la grenadine quand j'ai soif.
(5) La cigale ne chante pas en hiver.
(6) La fourmi ne donne pas de grain à la cigale.
(7) Près du village je vois un vieux château sur la colline.
(8) Mon ami a pris une photographie de ce château.

VIII Remplacez les mots en italique par les pronoms convenables.

(*Exemple :* Je donne *la plume à ma sœur*. Je *la lui* donne.)

(1) Michel montre *les tours à sa mère.*
(2) Vous montrez *vos tours à votre mère.*
(3) Michel donne *la boîte de chocolats à son directeur.*
(4) Tu donnes *la boîte de chocolats à ton directeur.*
(5) Le directeur prête *sa montre à l'élève.*
(6) L'élève prête *sa montre au directeur.*
(7) Le directeur vous donne *la boîte de chocolats.*
(8) Notre mère nous donne *les sandwichs.*
(9) Mon ami me prête *sa bicyclette.*
(10) Prêtez-vous *votre bicyclette à votre ami* ?

IX Décrivez l'image à la page 38.

JEU

Mots brouillés

The teacher writes on the blackboard the letters of a word, not in the correct order, e.g. BLEAT, MUPLE, DANRG, etc. (TABLE, PLUME, GRAND).

The first pupil to guess the word goes to the blackboard, writes it correctly and then adds in jumbled order the letters of another word, and so the game goes on.

LEÇON 11

YVONNE ET FRANÇOIS FONT LE MÉNAGE

La tante de madame Franchot est très malade et madame Franchot est allée la voir.

— Ne t'inquiète pas, maman, lui ont dit ses deux enfants, Yvonne et François. Nous allons faire tout le ménage.

Madame Franchot leur a donc dit au revoir et elle est partie, très contente de ses deux enfants, qu'elle aime beaucoup.

Il est maintenant quatre heures. Le temps a vite passé. Les enfants ont fait les lits, ils ont rangé les chambres et ils ont préparé leur déjeuner, qu'ils ont mangé à la cuisine.

Yvonne dit maintenant à son frère :

— Préparons le dîner.

— Oui, lui répond François. Nous allons préparer un dîner magnifique.

Yvonne prépare les légumes — pommes de terre, carottes, oignons, petits pois — qu'elle met dans des casseroles. Elle prépare aussi la viande et un excellent potage. François met la table — assiettes, couteaux, fourchettes, cuillers, verres.

Puis il annonce :

— Maintenant je vais faire des crêpes. Papa aime beaucoup les crêpes que maman lui fait.

Il prend du lait et de la farine qu'il met dans un bol et qu'il bat, avec des œufs. Puis il met ce liquide crémeux dans une poêle qu'il place sur la cuisinière à gaz.

Quand le grand moment arrive où il doit faire sauter la crêpe en l'air, elle retombe, un peu à sa surprise, bien au milieu de la poêle.

— Mais, c'est facile ! dit-il à sa sœur. Je vais faire sauter deux crêpes à la fois.

Les deux crêpes sont bientôt prêtes. François prend les deux poêles pour faire sauter les crêpes en l'air. Mais cela n'est pas facile. A sa grande horreur une des crêpes monte très haut et se colle au plafond. François la regarde, mais il ne regarde pas l'autre crêpe, qui monte en l'air et puis descend vite sur la tête de François.

Est-ce que François rit ? — Non, il ne rit pas.

Est-ce que sa sœur rit ? — Oui, elle rit beaucoup.

Et regardez le chat !

Grammar

1 DEVOIR to owe, have to

Present tense

je dois	I must, I have to
tu dois	you must, you have to
il (elle) doit	he must, he has to
nous devons	we must, we have to
vous devez	you must, you have to
ils (elles) doivent	they must, they have to

Negative	*Interrogative*
je ne dois pas	dois-je (est-ce que je dois) ?
tu ne dois pas, etc.	dois-tu ? etc.

Perfect tense

j'ai dû	I must have, I had to
tu as dû	you must have, you had to
il (elle) a dû	he must have, he had to
nous avons dû	we must have, we had to
vous avez dû	you must have, you had to
ils (elles) ont dû	they must have, they had to

Negative	*Interrogative*
je n'ai pas dû	ai-je dû ?
tu n'as pas dû, etc.	as-tu dû ? etc.

Devoir has a number of different meanings. Study them carefully as you meet the verb in your reading. It is used, for example, where we say in English 'I must, I have to'; it can also mean 'I owe'.

e.g.	*Je dois partir demain.*	I must leave tomorrow.
	Il me doit cinq francs.	He owes me five francs.

As there is no past tense of our verb 'must', the perfect tense of *devoir* has to be translated as: 'I had to, I was obliged to, I must have'.

e.g.	*J'ai dû me lever de bonne heure.*	I had to get up early.
	Ils sont arrivés à midi? Eh bien, ils ont dû partir avant nous.	They arrived at noon? Well then, they must have started before we did.

II THE RELATIVE PRONOUN qui, que

Study the following examples:

l'homme qui traverse la rue	the man who is crossing the street
l'âne qui porte une dame lourde	the donkey which is carrying a heavy lady
le chat qui mange une souris	the cat which eats a mouse
le livre qui tombe	the book which falls

In each of these sentences the word *qui* stands for the person or thing performing the action.

Now study the following examples :

l'homme que je vois	the man (that) I see
le paquet que mon frère porte	the packet (that) my brother is carrying
l'orange que le petit garçon mange	the orange (which) the boy is eating
le livre qu'André a acheté	the book (which) Andrew has bought

In each case here the word *que* (*qu'*) stands for the person or thing *suffering* the action. Some other person or thing performs the action.

Que (*qu'*) may be translated by 'whom', 'which' or 'that' but you will notice that these words are often omitted in English.

Before a vowel *que* becomes *qu'*, but *qui* is never shortened in this way.

Notice that *qui* is the SUBJECT and *que* is the OBJECT of the verb following.

III NE VOUS INQUIÉTEZ PAS (IMPERATIVE OF REFLEXIVE VERBS)

Notice the position of the pronoun *vous*. When an order is given to *do* something, the pronoun is placed after the verb and joined to it with a hyphen :

levez-vous asseyez-vous dépêchez-vous

When a negative order is given we say :

ne vous levez pas ne vous asseyez pas
ne vous dépêchez pas

These are further examples of the rules given on p. 40.

IV ANNONCER to announce (-CER VERB)

Verbs whose infinitive ends in *-cer* always have *-çons* in the first person plural of the present tense, e.g.

nous lançons nous annonçons

V BATTRE to beat

Note the single *t* in the singular of the present tense.

Present tense

je bats	nous battons
tu bats	vous battez
il (elle) bat	ils (elles) battent

Perfect tense

j'ai battu
tu as battu, etc.

VI MONTER to rise, climb

Remember that *monter* forms its perfect tense with *être* (see page 61).

je suis monté(e)	nous sommes monté(e)s
tu es monté(e)	vous êtes monté(e)(s)
il est monté	ils sont montés
elle est montée	elles sont montées

VII S'INQUIÉTER to worry, to be anxious

See note on accents—*préférer*, page 2.

VIII OMISSION OF PARTITIVE ARTICLE

Yvonne prépare les légumes — pommes de terre, carottes, oignons, petits pois. Yvonne prepares the vegetables — potatoes, carrots, onions, green peas.

The partitive article may be omitted where a number of things are listed rapidly.

Vocabulaire

le ménage, housework	*la casserole*, saucepan
le temps, time, weather	*la viande*, meat
le couteau, knife	*la cuiller*, spoon
le bol, bowl	*la fourchette*, (table) fork
le plafond, ceiling	*la crêpe*, pancake
l'air, air	*la poêle*, frying-pan

un peu, a little, rather
le milieu, middle
bien au milieu, right in the middle
qui, who, that, which
que, whom, that, which
crémeux (fem. *crémeuse*) creamy
en l'air, in the air
facile, easy
haut (*adj.* and *adv.*), high
pendant que, while
retomber, to fall down (again)
la cuisinière à gaz, gas cooker
la fois, time (number of times)
à la fois, at the same time
s'inquiéter, to be anxious
ranger, to tidy
annoncer, to announce
battre, to beat
(*se*) *coller*, to stick
faire le ménage, to do the housework
mettre la table, to lay the table
devoir, to owe, have to
sauter, to jump
faire sauter, to toss
monter, to go up, rise, climb

Exercices

I Mettez (*a*) *le*, *la*, *l'* ou *les*
(*b*) *du*, *de la*, *de l'* ou *des*
(*c*) *au*, *à la*, *à l'* ou *aux*
(*d*) *ce*, *cet*, *cette* ou *ces* devant :

fourchettes	couteaux	cuiller	cuisine	poêle
plafond	casseroles	bol	temps	ménage

II Conjuguez :

Je mets l'œuf dans le bol et je le bats, tu mets l'œuf..., etc.
Je dois faire le ménage, tu dois faire le ménage, etc.
Ai-je rangé mes livres ? as-tu rangé tes livres ? etc.

III Remplacez le tiret par *qui* ou *que* (*qu'*) :

(1) Le dîner — nous préparons.
(2) Le couteau — j'ai perdu.
(3) Le lait — est dans le bol.
(4) Ma sœur — bat les œufs.
(5) Les crêpes — il fait sauter.
(6) Le professeur — a le nez long.

(7) La crêpe — se colle au plafond.
(8) Vos casseroles — je vois sur la cuisinière.
(9) Le potage — elle mange.
(10) La viande — nous mangeons.

IV Ajoutez l'adjectif à la forme convenable :

facile :	une histoire ——	des tours ——
	un livre ——	la leçon ——
malade :	des éléphants ——	mon oncle ——
	ma sœur ——	nos cousines ——
crémeux :	des liquides ——	une glace ——
	un lait ——	
beau :	de — légumes	de — assiettes
	un — lit	ma — cuisine

V Mettez au négatif :

Levez-vous.	Asseyez-vous.	Dépêchez-vous.
Cachez-vous.	Couchez-vous.	Montrez-vous.
Rasez-vous.	Reposez-vous.	Lavez-vous.

VI Mettez au parfait :

(Exemple : Je regarde le livre. — J'ai regardé le livre.)

Nous parlons aux enfants.	Il prend du lait.
Je dois aller au lac.	Nous mangeons notre déjeuner.
La fillette met la table.	Le chat rit.
Vous faites le lit.	J'annonce le dîner.
La vache donne du lait.	La tante est malade.

VII Mettez au parfait :

(Exemples : Nous nous levons à huit heures. — Nous nous sommes levés à huit heures.
Jeanne monte au sommet. — Jeanne est montée au sommet.)

(1) Nous nous couchons à sept heures.
(2) Vous vous cachez dans la cuisine.

(3) Mon père se rase dans la salle de bain.
(4) Notre tante s'assied dans ce fauteuil.
(5) Marie va au cinéma.
(6) Les vaches se reposent près des arbres.
(7) L'automobile arrive à six heures et quart.
(8) Ils descendent à la rivière.

VIII Mettez au parfait :

La tante de madame Franchot est malade. Madame Franchot va la voir. Les enfants disent au revoir à leur mère, puis ils font le ménage. D'abord ils font les lits, rangent les chambres et préparent leur déjeuner. Puis ils préparent le dîner. Yvonne s'assied devant la table et prépare les légumes et François met la table. Puis François arrive dans la cuisine et il annonce : « Je vais faire des crêpes. » Quand il fait sauter la première crêpe elle retombe bien au milieu de la poêle, mais quand il fait sauter deux crêpes à la fois, la première monte très haut et se colle au plafond et la seconde retombe sur la tête de François.

IX Mettez au pluriel :

(1) Je mange une crêpe.
(2) Tu dois faire ton lit.
(3) J'ai dû acheter un journal.
(4) Le fermier bat son chien.
(5) Je lance la boule de neige.
(6) Ne t'inquiète pas.
(7) Ce garçon-là est monté à sa chambre.
(8) La petite fille s'est levée à sept heures.
(9) Pourquoi es-tu venu aujourd'hui ?
(10) La bonne du directeur s'est couchée à dix heures et quart.

X Mettez-vous à la place d'Yvonne et répondez aux questions suivantes :

(1) Qui est très malade ?

(2) Qu'est-ce que vous avez promis à votre mère de faire ?
(3) Pourquoi le temps a-t-il vite passé ?
(4) Quels légumes avez-vous mis dans les casseroles ?
(5) Pourquoi François a-t-il fait des crêpes ?
(6) Pourquoi avez-vous ri ?

XI Mettez-vous maintenant à la place de François et répondez à ces questions :

(1) Qu'est-ce que vous avez fait pendant que votre sœur a préparé les légumes ?
(2) Qu'avez-vous mis dans le bol ?
(3) Qu'avez-vous battu dans le bol ?
(4) Pourquoi avez-vous fait sauter deux crêpes à la fois ?
(5) Où s'est collée la première des crêpes ?
(6) Et où l'autre est-elle descendue ?

XII Faites la description de la cuisine de madame Franchot.

XIII Répondez :

(1) Pourquoi madame Franchot est-elle allée voir sa tante ?
(2) Qu'est-ce que ses enfants lui ont dit ?
(3) Où les enfants ont-ils mangé leur déjeuner ?
(4) Que François a-t-il mis sur la table ?
(5) Où a-t-il mis le liquide crémeux ?
(6) Où a-t-il placé la poêle ?
(7) Quand une crêpe s'est collée au plafond est-ce que François a été content ?
(8) Pourquoi Yvonne a-t-elle ri ?
(9) Aimez-vous les crêpes ?
(10) Avez-vous jamais fait des crêpes ?

Petit dialogue

A LA CUISINE

YVONNE : Voilà, j'ai fini les légumes.
FRANÇOIS : Et moi, j'ai mis la table. Maintenant je vais préparer des crêpes que papa aime tant.

YVONNE : Des crêpes ? Mais tu ne sais pas les faire.

FRANÇOIS (*il prend un livre qu'il ouvre*) : Crêpes... page soixante-dix. (*Il trouve la page*) Voilà. De la farine, du lait, des œufs. C'est simple. Vite, un bol, Yvonne.

YVONNE : Tu es stupide. (*Mais elle lui donne un bol.* FRANÇOIS *trouve de la farine, du lait et des œufs. Il casse les œufs et commence à les battre avec le lait*)

FRANÇOIS : Comme c'est joli ! Jaune comme le soleil ! Maintenant la farine. (*Il prend la farine*) Peu à peu. Donne-moi une poêle, Yvonne.

YVONNE (*elle lui donne une poêle*) : Tu vas nous donner à tous une indigestion.

FRANÇOIS : Pas du tout ! Je suis un excellent chef. Une minute seulement et c'est prêt. (*Il attend*) Maintenant je vais la faire sauter. (*Il fait sauter la crêpe et la rattrape facilement dans la poêle.* YVONNE *applaudit*)

YVONNE : Épatant ! Dis donc, François, est-ce que tu peux attraper deux crêpes à la fois ?

FRANÇOIS : Deux à la fois ? Mais, c'est facile. Cette crêpe est prête maintenant. Mange-la !

YVONNE : Merci beaucoup. (FRANÇOIS *prend deux poêles qu'il met sur la cuisinière*) Mais cette crêpe est très bonne !

FRANÇOIS : Naturellement.

YVONNE : Dépêche-toi ! (*Elle regarde* FRANÇOIS *qui prépare les deux crêpes*)

FRANÇOIS : Une minute seulement, et c'est prêt. Maintenant, regarde. Deux crêpes à la fois. (*Il les fait sauter*) Ma foi ! cette crêpe-là s'est collée au plafond. (*L'autre retombe sur sa tête*) Aïe !

YVONNE (*elle rit*) : Deux crêpes à la fois, cela n'est pas facile.

tant, so much
peu à peu, gradually
pas du tout, not at all
rattraper, to catch (again)
tu peux, you can
ma foi ! my word !

LEÇON 12

TROIS CHAMBRES A COUCHER

Je m'appelle Claire. J'ai treize ans. Je vais vous faire une description de ma chambre à coucher. Elle est petite, ma chambre. Les murs sont roses et les rideaux sont roses aussi. Au coin il y a un petit lit. C'est mon lit. Sur mon lit il y a deux draps blancs. Il y a aussi trois belles couvertures que maman a achetées l'année dernière à Paris. En hiver j'ai aussi un édredon. Près de ma fenêtre il y a un nid d'oiseau où il y a trois petits œufs bleus. Je les ai vus ce matin quand je me suis levée.

Moi, je m'appelle Georges. Comme Claire, j'ai aussi treize ans. Sur mon lit j'ai seulement deux couvertures, je n'ai pas d'édredon et ma fenêtre est toujours ouverte. Je suis éclaireur. L'année dernière j'ai acheté une grosse caisse à oranges que j'ai mise tout près de mon lit. Dans cette caisse j'ai mis tous les livres que ma mère et mon père m'ont donnés. Je lis beaucoup. Mes parents lisent beaucoup aussi. Souvent quand il pleut nous restons tous au salon et nous lisons.

Et moi, je suis un chien. Je m'appelle Médor. J'ai cinq ans. Ma chambre à coucher est au jardin. C'est une niche que mon maître m'a donnée quand je suis venu ici il y a cinq ans. J'aime cette niche. Mon lit n'a ni draps ni couvertures, mais quand il fait froid en hiver j'ai un vieux sac. Dans ma niche j'ai caché trois os que j'ai trouvés dans la cuisine. Hier j'ai vu un chat gris devant ma niche. C'est mon vieil ennemi Robert. Quand il m'a vu il est vite parti. Je n'aime pas les chats. J'aime les os, les biscuits, ma niche et mon vieux sac. J'aime aussi mon maître.

Moi, Robert, le chat, je ne vais pas faire la description de ma chambre à coucher. Pourquoi ? C'est parce que je n'ai pas de chambre à coucher spéciale. En été, quand il fait chaud, je me couche au soleil. En hiver je me couche généralement devant le feu. Mais j'aime surtout me glisser sous l'édredon de mon maître. Là, je dors pendant des heures.

Grammar

I LIRE to read

Present tense

je lis	nous lisons
tu lis	vous lisez
il (elle) lit	ils (elles) lisent

Negative	*Interrogative*
je ne lis pas	lis-je ? est-ce que je lis ?
tu ne lis pas, etc.	lis-tu ? etc.

Perfect tense

j'ai lu	nous avons lu
tu as lu	vous avez lu
il (elle) a lu	ils (elles) ont lu

Negative	*Interrogative*
je n'ai pas lu	ai-je lu ?
tu n'as pas lu, etc.	as-tu lu ? etc.

II S'APPELER to be called, to be named

Notice those persons where -*ll*- occurs in the present tense.

Present tense

je m'appelle	nous nous appelons
tu t'appelles	vous vous appelez
il (elle) s'appelle	ils (elles) s'appellent

Negative	*Interrogative*
je ne m'appelle pas	est-ce que je m'appelle ?
tu ne t'appelles pas, etc.	t'appelles-tu ? etc.

Perfect tense

je me suis appelé(e)	nous nous sommes appelé(e)s
tu t'es appelé(e)	vous vous êtes appelé(e)(s)
il (elle) s'est appelé(e)	ils (elles) se sont appelé(e)s

Negative	*Interrogative*
je ne me suis pas appelé(e)	me suis-je appelé(e) ?
tu ne t'es pas appelé(e), etc.	t'es-tu appelé(e) ? etc.

III AGREEMENT OF PAST PARTICIPLE WHEN USED WITH AVOIR

The past participle when used with *avoir* to form the perfect tense agrees with the preceding direct object.

Study the following examples :

trois couvertures que maman a achetées	three blankets that mother bought
je les ai vus	I saw them
une niche que mon maître m'a donnée	a kennel that my master gave me

Note : (*a*) the past participle (*achetées*, *vus*, *donnée*) is used with some part of the verb *avoir* ;

(*b*) the object that has been ' bought,' ' seen ' or ' given ' has already been mentioned in the sentence ;

(*c*) the past participle agrees like an adjective with the object mentioned.

IV IL Y A ago

Note this new meaning for *il y a* :

Il y a cinq ans. Five years ago.

Vocabulaire

le rideau, curtain
le drap, sheet
un édredon, an eiderdown
le nid, nest
un os, a bone
un ennemi, an enemy
la couverture, blanket
une année, a year
la niche, kennel
rose, pink
dernier (fem. *dernière*), last
il y a cinq ans, five years ago

lire, to read	*ni... ni*, neither . . . nor
s'appeler, to be called, to be named	*hier*, yesterday

N.B. *Comment vous appelez-vous ?* — What is your name ?
Je m'appelle Roger. — My name is Roger.

Exercices

I Mettez (*a*) *le, la, l'* ou *les*
(*b*) *au, à la, à l'* ou *aux*
(*c*) *du, de la, de l'* ou *des*
(*d*) *ce, cet, cette* ou *ces* devant :

couverture	rideaux	année	draps	os (*sing.*)
édredon	ennemi	niche	nid	os (*plur.*)

II Conjuguez :

Je ne lis pas mon journal, tu ne lis pas ton journal, etc.
Ai-je lu ce livre ? as-tu lu ce livre ? etc.
Je m'appelle Dupont, tu t'appelles Dupont, etc.
Quel âge est-ce que j'ai ? quel âge as-tu ? etc.

III Dans les phrases suivantes faites accorder le participe passé s'il y a lieu :

(Exemple : Voici les livres que j'ai *acheté*.
Voici les livres que j'ai achetés.)

(1) Quelles couvertures avez-vous *mis* sur mon lit ?
(2) Votre plume ? Je l'ai *mis* sur la table.
(3) J'ai *ouvert* la fenêtre dans votre chambre.
(4) La fenêtre que vous avez *ouvert* donne sur le jardin.
(5) Qui a *mangé* tous les gâteaux ? C'est Philippe qui les a *mangé*.
(6) Les livres que mon père m'a *acheté* sont dans ma vieille caisse.
(7) Où avez-vous *acheté* ces belles couvertures roses ?

(8) Mon oncle a déjà *lu* les journaux que je lui ai *acheté*.
(9) J'ai *prêté* ma montre à Jules et il l'a *cassé*.
(10) Le chien a *trouvé* les os que ma mère a *laissé* dans la cuisine et il les a *caché*.

IV Remplacez le tiret par *qui* ou *que* (*qu'*) :

(1) L'élève lit le livre — sa mère lui a donné.
(2) J'écris avec la plume — mon cousin m'a prêtée.
(3) Nous préférons les fleurs — sont au jardin.
(4) Voyez-vous ce monsieur — traverse la rue ?
(5) Votre frère a perdu les pommes — le fermier lui a données.
(6) Dans sa niche Médor a un vieux sac — il aime beaucoup.
(7) Où avez-vous mis les poires — j'ai apportées ?
(8) Pourquoi regardez-vous la vieille dame — porte des lunettes ?

V Remplacez le tiret par *qui* ou *que* (*qu'*) et faites accorder le participe passé s'il y a lieu :

(1) Voici les couvertures — j'ai *acheté*.
(2) Donnez-moi la balle — a *cassé* la fenêtre.
(3) Comment avez-vous *perdu* les poissons — j'ai *pris* ?
(4) Ma mère a *acheté* les souliers — la vendeuse lui a *montré*.
(5) L'épicier nous a *envoyé* la confiture — nous avons *acheté*.
(6) Pourquoi n'aimez-vous pas le professeur — a les yeux verts ?
(7) Où a-t-il *vu* le pêcheur — lui a *donné* ces poissons ?
(8) Ma sœur a *lu* la lettre — vous lui avez *écrit*.

VI Apprenez par cœur un des quatre paragraphes du passage donné au début de cette leçon.

VII Imaginez que vous êtes Médor et répondez aux questions suivantes :

(1) Comment vous appelez-vous ?

(2) Êtes-vous un chat ?
(3) Avez-vous les oreilles longues ?
(4) Quel âge avez-vous ?
(5) Qui vous a donné votre niche ?
(6) Combien de draps votre lit a-t-il ?
(7) Où avez-vous trouvé les trois os ?
(8) Où les avez-vous cachés ?
(9) De quelle couleur est le chat que vous avez vu hier ?
(10) Qu'est-ce qu'il a fait quand il vous a vu ?

VIII Faites la description de votre chambre à coucher. Vous pouvez inventer des détails.

vous pouvez, you may

(Est-elle grande ou petite ? De quelle couleur sont les murs ? De quelle couleur sont les rideaux ? Combien de fenêtres y a-t-il ? Est-ce que votre lit est grand ou petit ? Combien de couvertures avez-vous en été ? — en hiver ? etc.)

IX Remplacez les mots en italique par un pronom (*le*, *la*, *l'*, *les*) et faites accorder le participe passé.

(Exemple : J'ai mangé *les pommes*. Je les ai mangées.)

(1) J'ai acheté *les livres*.
(2) Ces élèves ont cassé *la fenêtre*.
(3) Claire regarde *le lit*.
(4) Le petit garçon a cassé *les œufs*.
(5) Nous avons perdu *les draps*.
(6) Médor a trouvé *les os*.
(7) Le porteur a ouvert *la malle*.
(8) Georges voit *la caisse à oranges*.

X Répondez :

(1) Combien de couvertures a Claire ?
(2) Qui les a achetées ?
(3) Quand Claire a-t-elle vu les œufs ?
(4) Quel âge a Georges ?

(5) Quand a-t-il acheté la caisse à oranges ?
(6) Qu'est-ce qu'il a mis dans la caisse ?
(7) Pourquoi le chat est-il vite parti ?
(8) Quel âge avez-vous ?
(9) Comment vous appelez-vous ?
(10) Aimez-vous les vieux sacs ?

Petits dialogues

1 *La chambre de Claire*

CLAIRE : Voici ma chambre, Hélène.

HÉLÈNE : Oh ! elle est très, très jolie. Je l'aime beaucoup. J'aime surtout les rideaux roses.

CLAIRE : C'est ma couleur favorite.

HÉLÈNE : Et quel joli petit lit !

CLAIRE : Oui, et quand je suis au lit je peux voir le grand arbre dans notre jardin.

HÉLÈNE : Y a-t-il beaucoup d'oiseaux dans ton arbre ?

CLAIRE : Oui. Et viens ici. Je vais te montrer mon trésor.
(*Elle lui montre le nid près de la fenêtre*)

HÉLÈNE : Oh ! les jolis œufs !

CLAIRE : Voilà la mère qui nous regarde. Vite, fermons la fenêtre ! (*Elle ferme la fenêtre*)

HÉLÈNE : Tu as de la chance, Claire !

2 *La chambre de Georges*

GEORGES : Voilà ma chambre, Gérard. Pas mal, n'est-ce pas ?

GÉRARD : Tu as de la chance ! Moi, je dois partager une chambre avec mon frère. Il parle tout le temps, même quand je veux lire.

GEORGES : Je lis beaucoup dans cette chambre. Regarde, voici ma bibliothèque. (*Il montre sa caisse à oranges*)

GÉRARD : Quels livres as-tu ? « Travailleurs de la Mer », « Le Troisième Homme ». Puis-je emprunter « Le Troisième Homme » ?

GEORGES : Volontiers. Et voici mon trésor.

GÉRARD : Qu'est-ce que c'est ? Un gros dictionnaire anglais-français !

GEORGES : Mon oncle me l'a donné pour ma fête.

GÉRARD : Tu as de la chance !

3 *La niche de Médor*

MÉDOR : Voilà ma niche, mon vieux.

TOUTOU : Tu dois être très bien ici.

MÉDOR : C'est parfait. Pas trop grande, pas trop petite. Et j'ai ce vieux sac qui me tient chaud quand les nuits sont froides.

TOUTOU : Tu as de bons voisins ?

MÉDOR : Malheureusement non. Il n'y a qu'un vieux chat gris que je déteste.

TOUTOU : Oui, les chats gris sont particulièrement détestables.

MÉDOR : Tu trouves aussi ? Viens ici, mon vieux, je vais te montrer mon petit trésor. (*Il lève un coin du sac*) Voilà. Trois gros os.

TOUTOU : Tu as de la chance !

MÉDOR : Choisis un os pour toi.

TOUTOU : Merci beaucoup. Tu es très gentil. (*Il choisit un os*) Hé ! voilà ce gros chat gris qui nous regarde. Chassons-le !

MÉDOR : Oui, chassons-le !

TOUTOU et MÉDOR : Grrrr ! Grrrr !

je peux, I can
partager, to share
puis-je ? may I ?
volontiers, of course, with pleasure
pas mal, not bad
la bibliothèque, library
emprunter, to borrow
malheureusement, unfortunately
il n'y a que, there is only

LEÇON 13

LA DISTRIBUTION DES PRIX

Vendredi, le 9 juillet

Ma chère Pauline,

Je vous remercie de votre longue lettre qui m'a beaucoup intéressé. Je peux vous répondre tout de suite, parce que je n'ai pas de devoirs à faire ce soir.

Hier nous avons eu la distribution des prix. Vous savez qu'en Angleterre, comme sans doute aussi en France, le jour de la distribution des prix est un jour très spécial.

D'abord, hier matin, il y a eu une répétition. La distribution a toujours lieu dans un grand théâtre. Nous sommes allés à l'école à neuf heures moins le quart. Les professeurs nous ont rassemblés dans la grande cour devant l'école. Le temps n'a pas été beau, et nous avons donc tous porté notre pardessus.

Les élèves qui ont remporté des prix cette année sont partis les premiers pour occuper les premiers rangs de fauteuils au théâtre. Les autres les ont suivis dix minutes plus tard. Nous sommes sept cents élèves à notre école et nous avons occupé tout le parterre.

A la répétition un professeur a présenté des prix imaginaires et tous les élèves ont beaucoup applaudi. Après cela les élèves ont chanté des chansons.

A deux heures de l'après-midi tout le monde s'est rassemblé de nouveau au théâtre. Les parents aussi sont venus. Puis à deux heures et quart précises le rideau s'est levé et nous avons vu le président, le directeur et d'autres personnes importantes.

Le directeur a fait un discours où il a félicité tout le monde : le président, les professeurs, les parents, même les élèves.

Un monsieur Wilson a distribué les prix, et après il a fait un long discours que je n'ai pas pu comprendre. Mais une de ses phrases m'a particulièrement frappé. Il a dit : « Je n'ai jamais remporté de prix à l'école. » Tous les élèves qui n'ont pas gagné de prix l'ont applaudi.

Pour finir il y a eu un incident très amusant. Je vous ai dit que notre distribution a lieu dans un théâtre. Eh bien ! hier, il y avait des lions dans une cage, cachée derrière un rideau. Quand le directeur a dit : « Maintenant les élèves vont chanter », tous les lions ont commencé à rugir. Tout le monde a ri et applaudi, même le directeur. J'attends avec impatience votre prochaine lettre, et je vous serre cordialement la main.

STEPHEN

P.-S. — Un de mes amis veut correspondre avec un jeune Français. Pouvez-vous lui trouver un correspondant ? [1]

1 SUIVRE to follow

Present tense

je suis	nous suivons
tu suis	vous suivez
il (elle) suit	ils (elles) suivent

Negative	*Interrogative*
je ne suis pas	est-ce que je suis ?
tu ne suis pas, etc.	suis-tu ? etc.

Perfect tense

j'ai suivi	nous avons suivi
tu as suivi	vous avez suivi
il (elle) a suivi	ils (elles) ont suivi

[1] If you would like a French correspondent, see page 103.

Negative	*Interrogative*
je n'ai pas suivi	ai-je suivi ?
tu n'as pas suivi, etc.	as-tu suivi ? etc.

II POUVOIR to be able

Present tense

je peux (je puis)	nous pouvons
tu peux	vous pouvez
il (elle) peut	ils (elles) peuvent

Negative	*Interrogative*
je ne peux pas (je ne puis)	est-ce que je peux ? puis-je ?
tu ne peux pas, etc.	peux-tu ? etc.

Perfect tense

j'ai pu	nous avons pu
tu as pu	vous avez pu
il (elle) a pu	ils (elles) ont pu

Negative	*Interrogative*
je n'ai pas pu	ai-je pu ?
tu n'as pas pu, etc.	as-tu pu ? etc.

The following examples illustrate various uses of the verb *pouvoir* :

Present tense

Pouvez-vous me prêter cent francs ?	*Can* you lend me a hundred francs ?
Puis-je ouvrir la fenêtre ?	*May* I open the window ?
Il peut marcher maintenant.	He *can* walk now. He *is able to* walk now.

Perfect tense

Elle a pu venir.	She *was able* to come.
Il n'a pas pu sortir.	He *was not able* to go out. He *could not* go out.
Votre chien a pu se perdre dans la forêt.	Your dog *may have* got lost in the forest.

Notice the two forms for the first person singular in the present.

Pouvoir is one of the few verbs in French which sometimes take *ne* alone as a negative (instead of *ne... pas*)

je ne puis, I cannot

III DATES

Study the examples given below and note that the cardinal numerals are used, except in the case of *premier* (first).

jeudi le sept septembre — dimanche le deux avril
mardi le dix juin — vendredi le trente et un août
mercredi le premier décembre

It is not necessary to use capital letters for the months in dates, and the use of capitals for the months in other cases is definitely wrong, e.g.

in April, *en avril*

IV NE... JAMAIS never

This is used just like *ne... pas* and *ne... rien*, e.g. Il ne rit jamais. Je n'ai jamais remporté de prix.

V OÙ where, in which

Note this common use of *où* :

un discours où, a speech in which

VI TOUT LE MONDE everybody

As in English, this expression is singular.

Tout le monde applaudit. Tout le monde est content.

VII LA PERSONNE the person

This word is feminine, even when it refers to a male person.

e.g. M. le Directeur est une personne importante

VIII NOTE THESE PLURALS :

le prix les prix — le discours les discours

IX NOUS AVONS TOUS PORTÉ NOTRE PARDESSUS

As each person wears only one overcoat the French prefer to use the singular.

Vocabulaire

le prix, prize, price
le théâtre, theatre
le temps, weather
le pardessus, overcoat
le rang, row
le parterre, pit (theatre)
le président, chairman
un incident, an incident
le discours, speech
le (*la*) *correspondant*(*e*), correspondent
tout le monde, everybody
de nouveau, again
même, even
ne... jamais, never
prochain, *-e*, next
particulièrement, particularly
il y avait, there was, there were

la distribution, presentation
la répétition, rehearsal
la personne, person
la phrase, sentence
remporter, to carry off, win
gagner, to win, gain
avoir lieu, to take place
suivre, to follow
rugir, to roar
intéresser, to interest
rassembler, to gather
occuper, to occupy
présenter, to present
féliciter, to congratulate
serrer la main à, to shake hands with

Exercices

I Mettez (*a*) *le*, *la*, *l'* ou *les*
(*b*) *du*, *de la*, *de l'* ou *des*
(*c*) *son*, *sa* ou *ses* devant :

distribution	fauteuils	pardessus (*sing.*)	chansons
répétition	théâtre	phrases	rangs
	rideau	discours (*pl.*)	

II Conjuguez :
Ai-je remporté le prix ? as-tu remporté le prix ? etc.
Je suis arrivé hier, tu es arrivé hier, etc.
Au théâtre je ris beaucoup, au théâtre tu ris beaucoup, etc.

III Ajoutez l'adjectif à la forme convenable :
prochain : la semaine —— l'année ——
dimanche ——

dernier :	la semaine ——	vendredi ——
	l'été ——	au —— moment
vieux :	de — livres	mes — photographies
	de — chansons	ce — théâtre

IV Remplacez le tiret par *qui* ou *que* (*qu'*) :

(1) Un livre — a beaucoup intéressé l'élève.
(2) Les élèves — ont remporté les prix.
(3) Les lions — nous voyons.
(4) La cage — est derrière un rideau.
(5) Les pardessus — nous portons.
(6) La lettre — vous avez écrite.
(7) Le fauteuil — Émile a occupé.
(8) Une vieille chanson — les fillettes ont chantée.

V Remplacez l'infinitif par le participe passé :

(1) Nous avons (rire) beaucoup.
(2) Une chanson que nous avons (chanter).
(3) Cet énorme lion a (rugir).
(4) Les pommes vertes qu'Émile a (manger).
(5) Ce livre nous a (intéresser).
(6) Fifi a (manger) les pommes vertes.
(7) La bicyclette que mon père a (acheter).
(8) Les élèves ont (occuper) les fauteuils.

VI Remplacez l'infinitif par le participe passé :

(1) Le train est (arriver).
(2) La fillette est (arriver).
(3) Les lions sont (arriver).
(4) Pourquoi est-il (venir) ?
(5) Pourquoi est-elle (venir) ?
(6) Nous sommes (venir) hier matin.
(7) Les lions se sont (lever).
(8) Je me suis (promener) dans le parc.

VII Mettez au parfait :

Les élèves vont à l'école. Ils partent pour le théâtre où ils arrivent à neuf heures et demie. Ils entrent dans le théâtre et s'asseyent dans leur fauteuil. Un professeur présente des prix imaginaires et tous les élèves applaudissent. Quand les élèves commencent à chanter les lions commencent à rugir. Tout le monde rit.

VIII Mettez au singulier :

(1) Les lions rugissent.
(2) Nous sommes arrivés à midi.
(3) Vous avez mis vos prix sur la table.
(4) Les fauteuils sont occupés.
(5) Les petits garçons ont mangé des pommes vertes.
(6) Aimez-vous les vieilles chansons que nous avons chantées ?
(7) Où sont les lions qui ont rugi ?
(8) Nous n'allons jamais au théâtre.

IX Mettez au pluriel :

(1) Je suis arrivé vendredi dernier.
(2) Aime-t-il le vieux lion ?
(3) Elle a mangé une orange.
(4) Je n'ai pas vu le pardessus bleu.
(5) Ce rideau est très beau.
(6) Le professeur va acheter un livre.
(7) Mon fauteuil est déjà occupé.
(8) Le directeur a fait un long discours.

X Écrivez une lettre à un(e) ami(e). Dites-lui ce que vous avez fait hier. (A quelle heure vous êtes-vous levé(e) ? A quelle heure êtes-vous arrivé(e) à l'école ? Avez-vous porté votre pardessus ? etc.)

XI Répondez :

(1) Est-ce que la lettre de Pauline a intéressé Stephen ?
(2) Quand y a-t-il eu une répétition ?
(3) Où la distribution a-t-elle eu lieu ?
(4) Où les professeurs ont-ils rassemblé les élèves ?
(5) Est-ce que le temps a été beau ?
(6) Quels élèves sont partis les premiers ?
(7) Qui a présenté des prix imaginaires ?
(8) Est-ce que Stephen a compris le discours de monsieur Wilson ?

JEU DE MOTS CROISÉS

Recopiez ce damier dans un cahier.
N'écrivez rien dans ce livre.

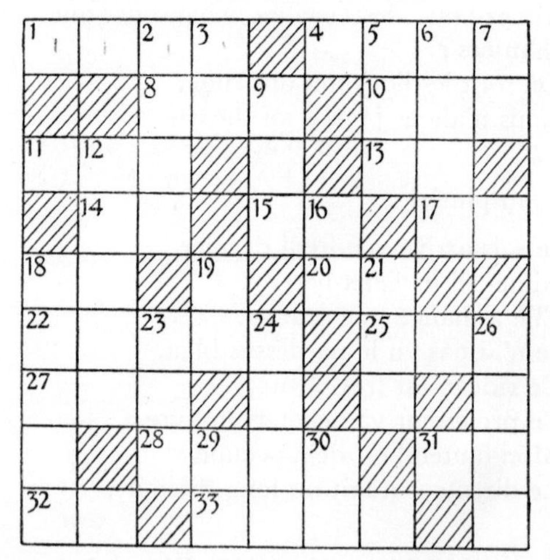

Horizontalement

1. Animal qui attrape les souris. 4. Maison pour les oiseaux. 8. Partie du visage. 10. Partie du verbe « mettre ». 11.

Féminin du mot « un ». 13. Singulier du pronom « ils ». 14. Partie du verbe « être ». 15. Féminin du pronom « ton ». 17. Dans. 18. *If.* 20. Masculin du mot « une ». 22. Un — de police. 25. Partie du verbe « oser ». 27. Pluriel du mot « le ». 28. *Late.* 31. Masculin du pronom « elle ». 32. Il fait chaud — été. 33. *Alone.*

Verticalement

2. Animaux qui portent les enfants sur la plage. 3. Tu — lèves. 5. Camarade. 6. En hiver le lac est —. 7. Il est une heure — demie. 9. Exclamation. 12. La — tombe en hiver. 16. — revoir. 18. La — de classe. 19. Masculin du mot « une ». 21. Contraire du mot « oui ». 23. Partie du verbe « être ». 24. Partie du verbe « tirer ». 26. Féminin du pronom « il ». 29. Partie du verbe « avoir ». 30. Singulier du mot « des ».

(Solution à la page 200)

French Correspondents

If you would like a French boy or girl to correspond with you, this can be arranged either through the Ministry of Education, Correspondence Exchange, Curzon House, London W.C.1, or through the Educational Institute of Scotland, 46 Moray Place, Edinburgh 3. Your French teacher will send them your name and it will be forwarded to the Service de la Correspondance Scolaire Internationale in Paris.

LEÇON 14

UNE INVITATION

Jeudi, le 15 juillet

Mon cher Stephen,

Je suis si contente ! Maman et papa m'ont dit que je peux vous inviter à venir passer les vacances d'été chez nous. Je suis sûre que vous accepterez cette invitation, car je sais que vous désirez beaucoup venir en France.

J'ai déjà commencé à faire des projets pour votre visite. D'abord je vous présenterai mon chat Minet, que j'aime beaucoup et que vous aimerez aussi, j'en suis sûre. Mon frère vous présentera son chien Noiraud. Minet et Noiraud sont très gentils.

Après cela je vous mènerai voir notre jardin, qui est très joli, et je vous montrerai toutes nos jolies fleurs qui sont si belles en été.

Près de notre maison il y a un petit bois avec une jolie rivière. Nous ferons un pique-nique un jour, vous, maman, papa, mon frère, tous mes amis et moi, dans ce petit bois. Nous y mangerons, puis nous nous baignerons dans la rivière. Savez-vous pêcher ? Papa aime beaucoup la pêche et nous pêcherons sans doute.

Un jour nous visiterons Rouen. Rouen, une belle vieille ville, est la capitale de la Normandie. Nous prendrons l'autobus et nous arriverons vite à Rouen, où nous passerons toute la journée.

Il y a beaucoup à voir à Rouen. Nous visiterons la cathédrale, qui est très célèbre, mais qui est maintenant, hélas, en ruines. Nous visiterons aussi la Place du Vieux-Marché, où Jeanne d'Arc a été brûlée en 1431.

Rouen est aussi un port important. Il y a toujours beaucoup de bateaux sur la Seine qui offre une vue intéressante. S'il fait beau nous nous promènerons en bateau.

Répondez-moi vite pour me dire si vous allez pouvoir venir.

La Place du Vieux-Marché, où Jeanne d'Arc a été brûlée vive en 1431, est toujours un lieu de pèlerinage traditionnel. On voit au centre la statue de Jeanne.

« Rouen, la ville aux cent clochers », dit Victor Hugo. La flèche de la cathédrale, qui s'élève à 156 mètres, domine toutes les autres.

N'oubliez pas de dire par quel train vous arriverez et nous vous attendrons sur le quai. Papa nous ramènera tous chez nous dans l'auto.

Écrivez-moi vite, vite !

Votre cousine qui vous aime,
PAULINE

Grammar

I THE FUTURE TENSE

The future tense of regular verbs is easy to learn. To the infinitive are added the following endings :

-AI	-AS	-A
-ONS	-EZ	-ONT

They are taken from the present tense of *avoir*, which we have already learnt. The following are examples from the three types of regular verbs :

DONNER	FINIR	VENDRE
je donnerai	je finirai	je vendrai
tu donneras	tu finiras	tu vendras
il donnera	il finira	il vendra
elle donnera	elle finira	elle vendra
nous donnerons	nous finirons	nous vendrons
vous donnerez	vous finirez	vous vendrez
ils donneront	ils finiront	ils vendront
elles donneront	elles finiront	elles vendront

The negative and interrogative are formed just as in the present tense, except that it is not necessary to use *est-ce que* with the first person singular, e.g.
Negative : je ne donnerai pas, tu ne finiras pas, il ne vendra pas.
Interrogative : donnerai-je ? finiras-tu ? vendra-t-il ?
Note that *-re* verbs drop the *e* before adding the endings.
Faire has an irregular future :

je ferai	nous ferons
tu feras	vous ferez
il (elle) fera	ils (elles) feront

Other verbs whose future is irregular will be given in the next lesson.

II MENER, RAMENER, SE PROMENER

Note the accent which occurs in all persons of the future. These are verbs in which the same accent occurred four times in the present tense.

je mènerai	nous mènerons
tu mèneras	vous mènerez
il (elle) mènera	ils (elles) mèneront

III EN. J'EN SUIS SÛR I am sure (*of it*)

Here the word *en* does not mean 'in'. Used before the verb as a pronoun object, it means 'of it', 'of them' or 'some'. Watch for it in your reading. Fuller explanation will be given later.

IV Y. NOUS Y MANGERONS we shall eat *there*

This little word *y*, which we have met in the expression *il y a*, usually denotes movement towards or position *at*, *in* or *on* a place. Watch for expressions similar to the one given above.

V SE PROMENER

Used by itself this verb generally means 'to go for a walk'. Note, however :

se promener en voiture, en auto	to go for a ride in a car
se promener en bateau	to go for a row or a sail
se promener à bicyclette	to go for a cycle ride

Watch for such expressions. You will also meet *faire une promenade* used in the same way.

VI EN 1431

In words this would be either (*a*) *en mil quatre cent trente et un* or (*b*) *en quatorze cent trente et un.*

The spelling *mil* (thousand) is confined to dates and is now found mainly in legal documents. In other uses it is spelt *mille*, a form nowadays used both generally and in dates.

Vocabulaire

le projet, plan
le port, port, harbour
inviter, to invite
brûler, to burn
se promener, to go for a walk
se promener en bateau, to go for a sail
ramener, to bring (take) back
accepter, to accept
mener, to take, lead
une invitation, an invitation
la capitale, capital (town)
la cathédrale, cathedral
la vue, view
car, for, because
célèbre, famous
en ruines, in ruins
hélas, alas
offrir, to offer (present tense like *ouvrir*, p. 16)
j'en suis sûr, I am sure

Exercices

I Mettez (*a*) *du*, *de la*, *de l'* ou *des*
(*b*) *au*, *à la*, *à l'* ou *aux*
(*c*) *ce*, *cet*, *cette* ou *ces* devant :

invitation capitale journée bateaux visite
cathédrale projets pêche port vue

II Conjuguez :
Je rentrerai demain, tu rentreras demain, etc.
Je me promènerai dans le parc, tu te promèneras..., etc.
Quand finirai-je mes devoirs ? quand finiras-tu..., etc.
Je n'achèterai pas de souliers, tu n'achèteras pas..., etc.
Je ferai un paquet, tu feras un paquet, etc.

III Ajoutez l'adjectif à la forme convenable :
célèbre : un homme —— une femme ——
des villes —— des théâtres ——
blanc : des bateaux —— du sable ——
des bougies —— une étoile ——

joli : cette — vue les — bateaux
un — rideau de — chansons

IV Remplacez l'infinitif par le futur :

(1) Je (porter) mon pardessus.
(2) Elle (choisir) une belle robe.
(3) Nous (se lever) à sept heures.
(4) Vous (vendre) des journaux.
(5) Le chat (saisir) la souris.
(6) Pauline (répondre) à ma lettre.
(7) Les élèves (partir) bientôt.
(8) Demain il (faire) beau.
(9) Mon père (parler) aux agents de police.
(10) Tu (visiter) Rouen.

V Mettez au singulier :

(1) Nous nous promènerons en bateau.
(2) Ils finiront leurs leçons.
(3) Quand mangerez-vous ces glaces ?
(4) Nous ne donnerons pas de gâteaux aux ânes.
(5) Vos cousins arriveront demain.
(6) Quand trouveront-ils le magasin ?
(7) Nous saisirons les jambons.
(8) Vous choisirez de gros fromages.
(9) Pourquoi prépareront-ils de magnifiques repas ?
(10) Nos pères nous ramèneront dans leurs autos.

VI Mettez au pluriel :

(1) Ma cousine cassera une assiette.
(2) Je prendrai un poisson.
(3) Achèteras-tu le livre ?
(4) Ta sœur lui répondra.
(5) Un fermier t'aidera.
(6) Cette petite fille pleurera.
(7) Quand me le donnera-t-il ?

(8) Je me baignerai dans la mer.
(9) Cette automobile ne marchera pas.
(10) Est-ce que tu lui prêteras ta bicyclette ?

VII Mettez au futur :

Il fait froid. La neige tombe. Je mets mon pardessus, et je sors dans la rue. Les automobiles ne marchent pas vite. Je me promène dans le petit bois, où j'admire les jolies branches couvertes de neige. Les oiseaux ne chantent pas. Mon chien Noiraud bondit près de moi. Il aime la neige blanche. Mais Minet, qui n'aime pas la neige, ne sort pas. Près du lac je trouve des amis. Nous faisons un bonhomme de neige et nous lançons des boules de neige. Nous nous amusons beaucoup.

VIII Répondez :

(1) Qui a écrit cette lettre ?
(2) Quand Stephen arrivera chez Pauline que fera-t-elle ?
(3) Qu'est-ce que Stephen trouvera dans le jardin de Pauline ?
(4) Quelle ville visiteront-ils ?
(5) Que feront-ils s'il fait beau ?
(6) Où Pauline attendra-t-elle Stephen ?
(7) Qui les ramènera dans l'auto ?
(8) Aimez-vous les jolies fleurs ?
(9) Y a-t-il une jolie rivière près de votre maison ?
(10) Savez-vous pêcher ?

Petit dialogue

UNE ÉGLISE A ROUEN

PAULINE : Voilà, Stephen. Cette église est très belle. Vous l'aimez, n'est-ce pas ?

STEPHEN : Oui, elle est magnifique. J'aime beaucoup les vieilles églises.

PAULINE : L'intérieur aussi est très beau. Regardez ! Voilà deux de mes amis devant ce magasin-là. Je vous les présenterai. Venez avec moi. (*Ils traversent la rue*) Bonjour, Henriette ! Bonjour, Jacques !

HENRIETTE : Bonjour, Pauline !

JACQUES : Bonjour, Pauline !

PAULINE : Je vous présente mon cousin Stephen qui vient d'Angleterre. Il passe ses vacances chez nous.

HENRIETTE : Enchantée !

JACQUES : Enchanté !

HENRIETTE : Est-ce que vous aimez notre pays ?

STEPHEN : Je l'aime énormément, et tout le monde est très gentil pour moi.

PAULINE : Et maintenant, voulez-vous venir avec nous prendre un verre de limonade au café ?

enchanté, -e, delighted, ' how do you do ? '
le pays, country *énormément*, enormously

LEÇON 15

AU LIT

Quand vous êtes au lit est-ce que vous pensez quelquefois au lendemain ? Voici Claire. Elle est au lit. Dans quelques minutes elle sera endormie. Mais, en attendant, voici ce qu'elle pense :

Demain je me lèverai à six heures. J'irai tout de suite voir mes petits oiseaux dans leur nid, sous ma fenêtre. Ils seront contents de me voir. Bientôt ils s'envoleront et je ne les verrai peut-être plus. A sept heures je descendrai à la salle à manger et je

mettrai la table pour le petit déjeuner. Quand maman descendra elle sera contente. Puis, quand je rentrerai de l'école à quatre heures et demie, j'écrirai une lettre à ma correspondante anglaise.

Et voici Georges. Quelles sont ses pensées ?

Demain, c'est ma fête. Qu'est-ce que je vais faire ? Je me lèverai de bonne heure pour voir mes cadeaux. Qu'est-ce que j'aurai ? Maman a promis de m'acheter une nouvelle canne à pêche. L'après-midi j'irai pêcher dans la rivière. Et peut-être que papa me donnera ce beau canif que nous avons vu la semaine dernière. J'ai besoin d'un bon canif qui coupe. Puis il y aura certainement des livres et je pourrai peut-être lire un peu avant le petit déjeuner. Et des cartes de bonne fête ! Mes amis m'enverront de jolies cartes que je mettrai sur ma table. Maintenant je vais m'endormir vite !

Et à quoi pense Médor quand il est couché ?

Il fait bon dans ma niche ! J'aime mon vieux sac. Il est très chaud et il sent bon. Maintenant, qu'est-ce que je ferai demain ? Peut-être que mon maître fera une promenade au parc. S'il y va, je l'accompagnerai. Nous irons sans doute au lac et je pourrai nager un peu. Bon ! Si je rencontre ce grand chien noir, nous jouerons dans les arbres. J'aime ce chien. C'est mon ami. Quand je reviendrai à ma niche, si je vois mon vieil ennemi, Robert, j'aboierai et je lui ferai peur ! Grrrr ! Un jour je l'attraperai, et alors...

Grammar

I SENTIR to feel, to smell

Present tense

je sens	nous sentons
tu sens	vous sentez
il (elle) sent	ils (elles) sentent

Negative	*Interrogative*
je ne sens pas	est-ce que je sens ?
tu ne sens pas, etc.	sens-tu ? etc.

Perfect tense

j'ai senti	nous avons senti
tu as senti	vous avez senti
il (elle) a senti	ils (elles) ont senti

Negative	*Interrogative*
je n'ai pas senti	ai-je senti ?
tu n'as pas senti, etc.	as-tu senti ? etc.

Future tense

je sentirai
tu sentiras, etc.

II IRREGULAR FUTURE TENSE

A few common verbs have an irregular future tense. Among them are the following :

aller — j'irai	avoir — j'aurai
venir — je viendrai	pouvoir — je pourrai
être — je serai	savoir — je saurai
faire — je ferai	voir — je verrai
envoyer — j'enverrai	vouloir — je voudrai

Note also *aboyer* where the *y* becomes an *i* in the future : *j'aboierai.* All verbs ending in *-oyer* follow this rule.

III QUAND USED WITH THE FUTURE

In English we use the present tense after *when* and similar words, even though the verb concerned deals with a future action. Study these sentences :

When I *see* my brother I will give him the book.
When mother *comes down* she will open the door.

In these sentences the actions of *seeing* and *arriving* are not happening now ; they are future actions. Nevertheless we use the present tense.

In French, however, the future is used in such circumstances, e.g.

Quand je *verrai* mon frère je lui donnerai le livre.
Quand maman *descendra* elle ouvrira la porte.

Note that after *si*, meaning 'if,' the French usage is the same as in English, e.g.

S'il y va, il verra mon frère.	If he goes there, he will see my brother.

IV PENSER A to think about

Je pense à vous.	I am thinking about you.

V QUOI ? What ?

This is the stressed interrogative pronoun, corresponding to *que*. It is commonly used after prepositions, e.g.

avec quoi ? with what ? *sur quoi ?* on what ?

It has other uses. Watch for them.

VI NE... PLUS no longer, no more

Here is another expression similar to *ne... pas* (not), *ne... rien* (nothing) and *ne... jamais* (never). Consider these examples :

Je ne les verrai plus.	I shall see them no more. (I shall not see them again.)

Il n'a plus de bonbons.	He has no more sweets. (He has not any more sweets.)

VII AVANT and DEVANT

Avant and *devant* each mean 'before'. *Avant* is generally used of TIME and *devant* of PLACE, e.g.

avant six heures	before six o'clock
il est arrivé avant moi	he arrived before I did
devant l'église	in front of the church
il marche devant moi	he walks in front of me

VIII PROMETTRE DE to promise to

This verb requires *de* before a following infinitive, e.g.

Papa promet de venir.	Father promises to come.

IX NOTE THIS PLURAL:

la canne à pêche	les cannes à pêche

X NOUVEAU new

The feminine is *nouvelle*. *Nouvel* is used in the masc. sing. before a vowel. Compare *bel* and *vieil*, e.g.

un nouveau chapeau, a new hat *une nouvelle maison*, a new house
un nouvel ami, a new friend *de nouvelles maisons*, new houses
de nouveaux amis, new friends

Vocabulaire

le cadeau, gift, present	*la pensée*, thought
le canif, penknife	*la fête*, feast, birthday celebration
le besoin, need	*la canne à pêche*, fishing rod
penser, to think	*quelquefois*, sometimes
s'envoler, to fly away	*quelques*, some, a few
avoir besoin de, to need	*en attendant*, meanwhile
s'endormir, to fall asleep	*ne... plus*, no more, no longer
sentir, to feel, smell	*de bonne heure*, early
accompagner, to accompany	*nouveau* (fem. *nouvelle*), new, fresh
nager, to swim	*peut-être*, perhaps

aboyer, to bark
faire peur à, to frighten
rencontrer, to meet
quoi, what
il fait bon, it is nice
avant, before (time)
sentir bon, to smell good

Exercices

I Mettez (*a*) *le, la, l'* ou *les*
(*b*) *au, à la, à l'* ou *aux*
(*c*) *du, de la, de l'* ou *des*
(*d*) *ce, cet, cette* ou *ces*
(*e*) *quel, quelle, quels* ou *quelles* devant :

correspondante cadeaux semaine rivière besoin
canne à pêche pensées oiseaux canif fête

II Conjuguez :

J'irai à l'école demain, tu iras à l'école demain, etc.
Aurai-je des cadeaux ? auras-tu des cadeaux ? etc.
Je ne pourrai pas lire, tu ne pourras pas lire, etc.
Que ferai-je ? que feras-tu ? etc.

III Mettez au futur :

Médor arrive à sa niche. Il trouve son os et le mange. Nous le regardons de derrière un arbre. Puis il voit son vieil ennemi, Robert, le chat de notre voisin. Il le chasse. Mais Robert monte sur le mur. Les deux animaux se regardent. Robert est content, mais Médor est fâché parce qu'il ne peut pas attraper Robert. Alors nous rentrons à la maison. Maman et papa arrivent bientôt et nous prenons le thé au salon.

IV Remplacez l'infinitif par le futur :

(1) Quand vous (arriver), vous (voir) le roi.
(2) Quand je (venir), vous (pouvoir) sortir.
(3) Quand mon père (entrer), il (vouloir) manger.
(4) Quand le porteur (venir), il (prendre) les malles.
(5) Nous (avoir) les cadeaux quand nous (se lever) demain.

v Remplacez l'infinitif par le présent :

(1) Si je (voir) le chat je le chasserai.
(2) Si vous lé (chasser) il grimpera au mur.
(3) Je vous achèterai un beau cadeau si vous me (donner) mille francs.
(4) Si vous (partir) tout de suite vous pourrez attraper le train de dix heures.
(5) Si ma mère (donner) un os à Médor il le cachera dans sa niche.

vi Mettez le verbe au temps convenable (présent ou futur) :

(1) Quand le train (arriver) à Paris, nos amis (être) sur le quai.
(2) Si vous (prendre) le train de midi, vous (arriver) à Lille avant minuit.
(3) Quand je (voir) le professeur je lui (dire) que vous avez perdu votre cahier.
(4) Quand le fermier (arriver) au village il (acheter) deux vaches.
(5) Si vous (lancer) cette balle vous (casser) une fenêtre.

vii Mettez au négatif :

(1) Demain je me lèverai à six heures.
(2) Les oiseaux s'envoleront.
(3) Claire descendra à la salle à manger.
(4) Nous écrirons des lettres à nos correspondants.
(5) Maman a promis de m'acheter une canne à pêche.
(6) Nous avons vu un beau canif la semaine dernière.
(7) Il y aura des livres.
(8) Mes amis m'enverront de jolies cartes de bonne fête.

viii Mettez-vous à la place de Médor et répondez aux questions suivantes. Remplacez les mots en italique par le pronom convenable.

(1) Fait-il bon dans votre niche ?
(2) Aimez-vous *votre vieux sac* ?

(3) Accompagnez-vous *votre maître* s'il fait une promenade ?
(4) Où irez-vous avec votre maître ?
(5) Aimez-vous le *grand chien noir* ?
(6) Que ferez-vous si vous voyez *le chat* ?
(7) Mangez-vous *les os* ?
(8) Où mettez-vous *les os* ?
(9) Est-ce que votre maître vous donne *les os* ?
(10) Pourquoi aimez-vous votre vieux sac ?

IX Samedi prochain vous aurez congé. Que ferez-vous ?

(A quelle heure vous lèverez-vous ? Que ferez-vous après le petit déjeuner ? Jouerez-vous au football ? — au cricket ? — au hockey ? — au tennis ? Aiderez-vous votre mère à faire le ménage ? Que ferez-vous l'après-midi ? Irez-vous au cinéma ? — au théâtre ? Que ferez-vous s'il pleut ? Lirez-vous ? etc.)

X Répondez :

A (1) Avec quoi écrivez-vous ?
(2) Sur quoi vous asseyez-vous à l'école ?
(3) A quoi pensez-vous quand vous êtes au lit ?
(4) Sur quoi Médor se couche-t-il ?
(5) Sur quoi les éclaireurs se couchent-ils quand ils font du camping ?
(6) Sur quoi le professeur écrit-il ?
(7) Dans quoi portez-vous vos livres ?
(8) Avec quoi votre mère fait-elle des gâteaux ?

B (1) A quelle heure Claire se lèvera-t-elle demain ?
(2) Pourquoi Georges est-il content ?
(3) De quoi a-t-il besoin ?
(4) Où va-t-il mettre les cartes de bonne fête ?
(5) Pourquoi Médor aime-t-il son vieux sac ?
(6) Pourquoi aime-t-il le chien noir ?
(7) Y a-t-il un parc près de chez vous ?
(8) Où allez-vous quand vous faites une promenade ?

Petit dialogue

LES CADEAUX DE GEORGES

GEORGES : Bonjour, maman.

SA MÈRE : Bonjour, Georges. Bonne fête !

GEORGES : Merci beaucoup, maman. (*Il l'embrasse*)

SA MÈRE : Tu es content de tes cadeaux ?

GEORGES : Oh ! oui. J'aime beaucoup la belle canne à pêche que tu m'as donnée. Merci beaucoup, beaucoup !

SA MÈRE : Tu es un bon fils, Georges. Tu l'as bien méritée.

GEORGES : Et le canif de papa ! Il est magnifique ! Puis la tante Mathilde m'a envoyé un beau stylo et l'oncle Aristide m'a donné une montre. J'ai de la chance, n'est-ce pas ?

SA MÈRE : Tu as vu tes cartes de bonne fête ?

GEORGES : Oui, il y en a beaucoup, et de jolies ! Je les ai mises sur la table dans ma chambre.

SA MÈRE : Qu'est-ce que tu vas faire cet après-midi ?

GEORGES : Je vais pêcher dans la rivière avec ma nouvelle canne.

SA MÈRE : Tu iras tout seul ?

GEORGES : Mais non ! Marcel y sera et François. J'y verrai aussi sans doute d'autres élèves de mon école.

(*Son père entre*)

SON PÈRE : Bonjour, Georges. Bonne fête !

GEORGES : Bonjour, papa. Merci du canif que tu m'as donné. Je l'aime énormément.

SON PÈRE : J'ai choisi le meilleur de tous les canifs du magasin.

GEORGES : J'en suis très fier. (*Le facteur fait son rataplan à la porte*) Encore des cartes, sans doute ! (*Il sort vite*)

SA MÈRE : Georges est très content de ses cadeaux. (*Il rentre*)

GEORGES : La tante Eugénie m'envoie un mandat de mille francs ! Quelle chance !

énormément	enormously
il y en a beaucoup	there are many of them
rataplan	rat-tat

REVISION EXERCISES

LESSONS 11-15

I Mettez (*a*) *du*, *de la*, *de l'* ou *des*
(*b*) *ce*, *cet*, *cette* ou *ces*
(*c*) *mon*, *ma* ou *mes* devant :

cathédrale	invitation	couteaux	cuiller	pardessus (*plur.*)
plafond	année	rideau	prix	viande
ennemi	port	os (*sing.*)	air	incidents

II Conjuguez :

Je viendrai si je peux, tu viendras si tu peux, etc.
Je les suivrai tout de suite, tu les suivras..., etc.
Je ne me promène pas ce matin, tu ne te promènes pas..., etc.
Est-ce que je dois lire ce livre ? dois-tu lire ce livre ? etc.

III Mettez au temps présent les verbes suivants :

battre s'appeler annoncer sentir lire

IV Conjuguez au temps parfait et à la forme interrogative les verbes suivants :

sortir devoir mettre écrire se baigner

V Conjuguez au temps futur et à la forme négative les verbes suivants :

faire vouloir aller voir vendre

VI Conjuguez au temps futur et à la forme interrogative les verbes suivants :

avoir donner être partir jeter

VII Mettez les verbes en italique au temps futur :

Marie *se lève* à sept heures et demie. Elle *prend* le petit déjeuner et *part* pour l'école à huit heures et demie. Elle *arrive* à l'école à neuf heures moins le quart. A l'école elle *travaille* ferme. Ses camarades *travaillent* ferme aussi. A midi tous les élèves *partent* pour la maison. Ils *mangent* leur déjeuner et ils *repartent* pour l'école. Moi, je *suis* toujours malade et je ne *vais* pas à l'école. Je *reste* au lit et *j'écoute* la radio.

VIII Remplacez le tiret par *qui* ou *que* (*qu'*) :

(1) Les clochettes — nous voyons.
(2) Les étoiles — vous avez achetées.
(3) Le rideau — tombe.
(4) Le fauteuil — je prends.
(5) La personne — m'enchante.
(6) La cathédrale — vous verrez.
(7) Le cahier — l'enfant a perdu.
(8) Le récit — le petit garçon a fait.

IX Remplacez l'infinitif par le participe passé :

(1) La créature que j'ai (trouver).
(2) Les services que nous avons (rendre).
(3) La bougie que j'ai (acheter).
(4) Mon ami a (manger) trois glaces.
(5) Ton père a (écouter) les chansons.
(6) Une visite que vous avez (faire).
(7) La cathédrale que vous avez (trouver).
(8) Le président a (parler) aux élèves.

X Posez-vous huit questions sur l'image de la page 76 et répondez à ces questions en français.

JEU

Je vois quelque chose

A pupil says 'Je vois quelque chose qui commence par la lettre . . .', giving the first letter of the name of some object that he can see. The pupil guessing the name of the object gives the first letter of some other object. This game can be played with objects visible either in the classroom or in a picture.

LEÇON 16

EXPLOIT DANGEREUX

(Aventure d'un jeune éclaireur)

Ce matin j'ai parlé avec Aristide Desmoulins. Ce jeune éclaireur m'a raconté comment, vendredi dernier, il a aidé la police à attraper trois voleurs.

Aristide est parti de chez lui à sept heures moins le quart, m'a-t-il dit, pour aller à la réunion de sa troupe. Dans la rue, à vingt pas devant lui, il a vu trois hommes entrer dans un garage. Quand Aristide est arrivé devant le garage il a entendu un des hommes qui a dit :

— Ce sera facile, Félix, mon vieux, je vous assure. A cette heure le propriétaire ne sera pas à la maison.

Aristide a été intrigué par ces mots et il s'est arrêté pour écouter. L'homme a continué :

— Si nous partons tout de suite nous arriverons à la maison dans dix minutes.

Un autre homme, qui s'appelle Jules Ferrand, a ajouté :

— Oui, mon vieux, et, comme j'ai la clef de la maison, nous pourrons y entrer sans difficulté. Gustave ouvrira le coffre-fort et nous mettrons tout l'argent et les papiers dans l'auto et reviendrons tout de suite. Ce sera facile, vous verrez.

— Il y aura une bonne récompense pour moi ? a demandé le troisième, qui s'appelle Félix.

— Mais naturellement, a répondu le premier des hommes, qui s'appelle Gustave Duclos.

Cette conversation a beaucoup intéressé Aristide, qui a eu l'idée courageuse d'accompagner ces trois hommes sur leur auto et d'avertir la police aussitôt que possible.

Quand l'auto est sortie du garage Aristide a sauté sur l'arrière du véhicule, qui est parti à toute vitesse. Dix minutes plus tard l'auto s'est arrêtée devant une grande maison noire.

Le chef, Gustave Duclos, est descendu de l'auto et a donné des instructions aux deux autres.

— Moi, j'entrerai le premier avec Jules, et vous, Félix, mon vieux, vous vous tiendrez à la porte et vous nous avertirez s'il y a du danger.

Aristide est descendu de l'auto et s'est glissé à pas de loup vers un bureau de poste où il y avait une cabine téléphonique.

Quand l'agent de police a entendu le récit d'Aristide il lui a promis de venir tout de suite. Deux autos sont vite arrivées et Aristide a montré la maison aux agents. Quatre agents se sont approchés de la maison par derrière et les trois hommes ont été pris sans difficulté. Aristide a été félicité par la police. Ses parents, ses amis et sa troupe sont très fiers de lui.

Grammar

I TENIR to hold

Present tense

je tiens	nous tenons
tu tiens	vous tenez
il (elle) tient	ils (elles) tiennent

Negative	*Interrogative*
je ne tiens pas	est-ce que je tiens ?
tu ne tiens pas, etc.	tiens-tu ? etc.

Perfect tense

j'ai tenu	nous avons tenu
tu as tenu	vous avez tenu
il (elle) a tenu	ils (elles) ont tenu

Negative	*Interrogative*
je n'ai pas tenu	ai-je tenu ?
tu n'as pas tenu, etc.	as-tu tenu ? etc.

Future tense

je tiendrai	nous tiendrons
tu tiendras	vous tiendrez
il (elle) tiendra	ils (elles) tiendront

Negative	*Interrogative*
je ne tiendrai pas	tiendrai-je ?
tu ne tiendras pas, etc.	tiendras-tu ? etc.

II ORDINAL NUMERALS

1st	*premier*	8th	*huitième*
2nd	*second* / *deuxième*	9th	*neuvième*
		10th	*dixième*
3rd	*troisième*	11th	*onzième*
4th	*quatrième*	12th	*douzième*
5th	*cinquième*	21st	*vingt et unième*
6th	*sixième*	22nd	*vingt-deuxième*
7th	*septième*	23rd	*vingt-troisième*, etc.

Apart from *premier* and *second*, these numerals are formed by adding *-ième* to the cardinal numbers, the final *e* being dropped.

Cinq adds *u*, while the *f* of *neuf* is changed to *v*.

Premier (*première*) and *second* (*seconde*) have feminine forms.

The shortened forms of ordinal numbers are : 1er (1re), 2e, 3e, 20e, etc.

III INVERSION OF THE VERB

Study the following sentences :
« Mais naturellement », a répondu Georges.
« Il y aura une belle récompense ? » a demandé le troisième.
« J'en suis sûre », a-t-elle dit.

The verbs *a répondu*, *a demandé* and *a-t-elle dit* are turned round (inverted). This is the rule in French for verbs following direct speech. In English we can say 'he replied' or 'replied he,' but in French the verb is always inverted.

Vocabulaire

le voleur, thief
un exploit, an exploit
le garage, garage
le propriétaire, owner
le coffre-fort, safe
l'argent, money, silver
l'arrière, back
le véhicule, vehicle
le chef, chief, leader
le récit, account
mon vieux, old chap
naturellement, of course
intrigué, -e, puzzled
par derrière, from behind
à toute vitesse, at full speed
une aventure, an adventure
la difficulté, difficulty
la récompense, reward, return
la conversation, conversation
une instruction, an instruction
la cabine téléphonique, telephone box
continuer, to continue
avertir, to warn, inform
assurer, to assure
se tenir, to stand
raconter, to relate
s'arrêter, to stop (*intransitive*)
ajouter, to add
s'approcher (de), to approach
aussitôt que possible, as soon as possible

Exercices

1 Mettez (*a*) *du*, *de la*, *de l'* ou *des*
(*b*) *au*, *à la*, *à l'* ou *aux*
(*c*) *ton*, *ta* ou *tes* devant :

conversation	aventures	difficultés	argent	garage
instruction	récompense	exploits	récits	chef

II Conjuguez :

Je le verrai demain, tu le verras demain, etc.

Quand aurai-je ma récompense ? quand auras-tu ta récompense ? etc.

Je ne viendrai pas, tu ne viendras pas, etc.

III Ajoutez l'adjectif à la forme convenable :

facile :	des devoirs ——	un tour ——
	une danse ——	
intrigué :	un agent ——	des voleurs ——
	une femme —	
vieux :	de — paquets	de — automobiles
	une — cabine	
noir :	un liquide ——	le chapeau ——
	des souliers ——	une chemise ——

IV Remplacez l'infinitif par le futur :

(1) Mon père (venir) demain.
(2) Quand (faire)-vous vos devoirs ?
(3) Nous (être) à Rouen en été.
(4) Robert ne (vouloir) pas vendre sa bicyclette.
(5) (Venir)-vous avec votre mère ?
(6) Leurs amis (voir) les lettres sur la table.
(7) Il (être) au concert.
(8) J'(avoir) treize ans lundi prochain.

V Mettez au singulier :

(1) Les pêcheurs attraperont les poissons.
(2) Nous vous accompagnerons demain.
(3) Ils iront au théâtre avec leurs sœurs.
(4) Les assiettes seront sur les tables.
(5) Nous ferons un pique-nique avec nos amis.
(6) Viendront-elles aux champs ?
(7) Les vaches iront dans les étables.
(8) Pourquoi viendront-ils à neuf heures ?

VI Mettez au futur :

Je me lève à sept heures. Après le déjeuner je prends mon maillot et ma serviette et je sors de la maison. Je vais avec mon ami Jules à la rivière. Nous nous baignons et nous nous couchons sur l'herbe. Nous voyons des amis et nous jouons avec une balle. Nous grimpons à un arbre. Un autre de nos amis vient, mais il ne nous voit pas, parce que nous sommes cachés dans les branches. Nous poussons des cris et enfin il nous trouve et monte dans l'arbre près de nous.

VII Écrivez une lettre à un(e) ami(e). Invitez-le (-la) à venir passer les vacances d'été chez vous. Dites ce que vous ferez pendant sa visite.

VIII Écrivez en toutes lettres :

(1) 6 8 9 13 15 20 21 60 65 70
71 75 80 81 90 95 96 100 101 1000

(2) 1er 2e 3e 5e 1re 9e 10e
20e 21e 35e 60e 61e 65e 70e
75e 80e 83e 91e 95e 99e 100e

IX Répondez :

(1) Qui a aidé la police à attraper trois voleurs ?
(2) Pourquoi Aristide s'est-il arrêté devant le garage ?
(3) Qui ouvrira le coffre-fort ?
(4) Qu'y a-t-il dans le coffre-fort ?
(5) Qui aura une bonne récompense ?
(6) Comment Aristide a-t-il averti la police ?
(7) Où l'automobile s'est-elle arrêtée ?
(8) Combien d'automobiles sont arrivées avec la police ?
(9) Pourquoi Aristide a-t-il été félicité ?
(10) Avez-vous jamais téléphoné à la police ?

CHANSON

EN PASSANT PAR LA LORRAINE

En pas - sant par la Lor - rai - ne A - vec
mes sa - bots, —— En pas - sant par la Lor -
rai - ne A - vec mes sa - bots, —— J'ai trou -
vé trois ca - pi - tai - nes A - vec mes sa - bots, ton -
tai - ne, Oh! oh! oh! —— A - vec mes sa - bots.

2

J'ai trouvé trois capitaines, } *bis*
Avec mes sabots,
Ils m'ont appelé « vilaine »,
Avec mes sabots, tontaine,
Oh ! oh ! oh ! Avec mes sabots !

3

Ils m'ont appelé « vilaine », } *bis*
Avec mes sabots,
Je ne suis pas si vilaine,
Avec mes sabots, tontaine,
Oh ! oh ! oh ! Avec mes sabots !

4

Je ne suis pas si vilaine,
Avec mes sabots, } *bis*
Puisque le fils du Roi m'aime,
Avec mes sabots, tontaine,
Oh ! oh ! oh ! Avec mes sabots !

5

Puisque le fils du Roi m'aime,
Avec mes sabots, } *bis*
Il m'a donné pour étrenne,
Avec mes sabots, tontaine,
Oh ! oh ! oh ! Avec mes sabots !

6

Il m'a donné pour étrenne,
Avec mes sabots, } *bis*
Un bouquet de marjolaine,
Avec mes sabots, tontaine,
Oh ! oh ! oh ! Avec mes sabots !

7

Un bouquet de marjolaine,
Avec mes sabots, } *bis*
S'il fleurit, je serai reine,
Avec mes sabots, tontaine,
Oh ! oh ! oh ! Avec mes sabots !

8

S'il fleurit, je serai reine,
Avec mes sabots, } *bis*
Mais s'il meurt, je perds ma peine,
Avec mes sabots, tontaine,
Oh ! oh ! oh ! Avec mes sabots.

LEÇON 17

LE LION ET LE RAT

Un jour, un rat se promène dans la forêt. Il est très fatigué et il veut dormir. Il cherche partout, et enfin il trouve un petit trou au pied d'un grand arbre. Ce petit trou est très sec et très chaud. Le rat y entre et se couche. Après quelques minutes il s'endort, et il dort longtemps, longtemps.

Dans cette forêt il y a un grand lion. Le lion est très fatigué. Il est aussi fatigué que le rat. Il a chassé toute la nuit et maintenant il veut dormir. Il cherche partout et enfin il trouve un grand arbre, le plus grand arbre de la forêt qui le protégera bien contre les rayons du soleil. Il se couche sous l'arbre et bientôt il s'endort.

Au bout de quelques heures le rat se réveille. Il se dit : « Il fait nuit maintenant. J'ai bien dormi, mais j'ai très faim et je veux manger. »

Mais quand il veut sortir il trouve un grand objet noir qui bloque l'entrée du trou. Il ne peut pas sortir. Il a peur et, naturellement, il commence à ronger cet objet. Hélas ! c'est le lion qu'il ronge.

Le lion se réveille et pousse un rugissement formidable. Il se lève et voit le petit rat qui a peur et qui tremble.

— Toi ! rugit le lion, toi, qui es la plus petite de toutes les créatures de la forêt, tu oses t'attaquer à moi qui suis le plus noble et le plus courageux de tous les animaux ! Tu tâches de me manger pendant que je dors ? Misérable ! Tu vas mourir !

Maintenant le rat a très, très peur. Mais, pour une si petite créature, il est courageux. Il est presque aussi courageux que le lion. Et il ne veut pas mourir. Il dit donc au lion :

— Sire, je vous prie de me pardonner. C'est par erreur que je vous ai rongé. Si vous voulez me laisser partir, peut-être qu'un jour je pourrai vous rendre un service.

— Toi, tu pourras me rendre un service ? répond le lion.

Cette idée l'amuse et il rit, il rit longtemps. Quand il a fini de rire, le lion dit au rat :

— Eh bien ! je te laisse partir. Mais fais attention ! Une autre fois... !

Quelques jours plus tard le lion chasse dans la forêt, quand, tout à coup, il tombe dans un énorme filet qui couvre un grand trou. Le lion a peur. Il tâche de sortir du filet. Il commence à rugir. Le rat entend les rugissements du lion et il se dit : « C'est mon ami, le lion. Peut-être que je pourrai lui rendre un service. »

Et le rat court, aussi vite que possible, au trou où le lion est tombé. Quand il y arrive il commence tout de suite à ronger le filet. Enfin le lion peut sortir du filet et il dit au rat :

— Aujourd'hui tu m'as sauvé la vie. Maintenant tu es mon camarade et je te protégerai contre tous les animaux de la forêt.

Grammar

I COMPARISON OF ADJECTIVES

In English we have *two* ways of forming the comparative and the superlative of adjectives, e.g.

a big house	a bigger house	the biggest house
a difficult lesson	a more difficult lesson	the most difficult lesson

In French the second of these two ways is used.

Study carefully these examples :

(*a*)

masc. sing.	*masc. plur.*
un grand arbre	de grands arbres
un plus grand arbre	de plus grands arbres
le plus grand arbre	les plus grands arbres

fem. sing.	*fem. plur.*
une grande maison	de grandes maisons
une plus grande maison	de plus grandes maisons
la plus grande maison	les plus grandes maisons

(*b*)

masc. sing.	*masc. plur.*
un livre important	des livres importants
un livre plus important	des livres plus importants
le livre le plus important	les livres les plus importants

fem. sing.	*fem. plur.*
une ville importante	des villes importantes
une ville plus importante	des villes plus importantes
la ville la plus importante	les villes les plus importantes

Note this irregular form of comparative :

bon, meilleur, le meilleur (good, better, best)

Notice also these other comparative forms :

aussi grand que, as big as
moins grand que, not as big as (literally : less big than)

II EMPHATIC (STRESSED) PRONOUNS

Whenever emphasis is laid on a pronoun, the stressed form is required.

Learn the following :

avec moi	with me	*avec nous*	with us
avec toi	with you	*avec vous*	with you
avec lui	with him	*avec eux*	with them (*masc.*)
avec elle	with her	*avec elles*	with them (*fem.*)

These pronouns are used after any preposition, e.g.

devant moi derrière lui chez elle après eux

They are also used in addition to *je*, *tu*, *il*, etc. to express emphasis which is often shown in English by the voice, e.g.

Who closed the door ?	*I* closed the door.
Qui a fermé la porte ?	*Moi*, j'ai fermé la porte.

They are again used when the pronoun stands alone as, for example, in answer to questions :

Qui a mangé le chocolat ? Moi.

Notice, too, their use with comparatives :

plus grand que moi	taller than I
plus courageux que lui	braver than he

III COURIR to run

Present tense

je cours	nous courons
tu cours	vous courez
il (elle) court	ils (elles) courent

Negative je ne cours pas, tu ne cours pas, etc.
Interrogative est-ce que je cours ? cours-tu ? etc.

Perfect tense

j'ai couru	nous avons couru
tu as couru	vous avez couru
il (elle) a couru	ils (elles) ont couru

Negative je n'ai pas couru, tu n'as pas couru, etc.
Interrogative ai-je couru ? as-tu couru ? etc.

Future tense

je courrai	nous courrons
tu courras	vous courrez
il (elle) courra	ils (elles) courront

NOTE the double *r* in the future tense.

IV PROTÉGER to protect

Compare the present and future tenses, noting the accents.

Present	*Future*
je protège	je protégerai
tu protèges	tu protégeras
il protège	il protégera
elle protège	elle protégera
nous protégeons	nous protégerons
vous protégez	vous protégerez
ils protègent	ils protégeront
elles protègent	elles protégeront

Other verbs whose infinitives end in *é-er* follow this pattern.

V SAUVER LA VIE A

Note the construction

Je sauve la vie à mon ami. I save my friend's life.
Je lui sauve la vie. I save his life.

VI TÂCHER DE, PRIER DE

Note the construction (*de* with a following infinitive) :

Tâchez de venir. Try to come.
Il me prie de partir. He asks me to leave.

Vocabulaire

le rat, rat
le rayon, ray
le bout, end
un objet, an object
le rugissement, roar
le misérable, wretch
le service, service
le filet, net
longtemps, a long time
noble, noble
la forêt, forest
une entrée, an entrance
la créature, creature
l'indignation (*fem.*), indignation
la vie, life
se réveiller, to wake up
ronger, to gnaw
oser, to dare
tâcher, to try
prier, to beg, ask

par erreur, by mistake
au bout de, at the end of
faire attention, to be careful
rendre un service, to do a good turn
couvrir, to cover (like *ouvrir*, p. 16)
protéger, to protect
bloquer, to block
trembler, to tremble
s'attaquer à, to attack
mourir, to die
pardonner, to forgive
sauver la vie à, to save (someone's) life

Exercices

I Écrivez (*a*) *au, à la, à l'* ou *aux*
(*b*) *du, de la, de l'* ou *des*
(*c*) *ce, cet, cette* ou *ces* devant :

rugissements	objet	forêt	filets	entrée
créature	vie	rayons	lion	rat

II Conjuguez :

Je courrai à la maison, tu courras à la maison, etc.
Je me suis endormi, tu t'es endormi, etc.
Quand verrai-je mon frère ? quand verras-tu ton frère ? etc.

III Étudiez les exemples et puis complétez les phrases.

Exemples : blanc : La neige est aussi...
La neige est aussi blanche que la craie.
rusé : Le renard est plus...
Le renard est plus rusé que le corbeau.

(1) *vieux :* Ma grand'mère est plus ——
(2) *laid :* Mon ami est plus ——
(3) *long :* Mon oreille droite est aussi ——
(4) *courageux :* Je suis aussi ——
(5) *dangereux :* Les automobiles sont plus ——
(6) *grand :* La France est plus ——
(7) *méchant :* Ma petite sœur est plus ——
(8) *fatigué :* Le lion est aussi ——

IV Mettez au singulier :

(1) Les fleurs sont aussi belles que les arbres.
(2) Mes chats sont plus beaux que mes chiens.
(3) Les poires sont aussi délicieuses que les pommes.
(4) Les poissons que nous avons attrapés sont plus gros que les poissons que vous avez attrapés.
(5) Les rats sont les amis des lions.
(6) Ces vaches sont de belles créatures.
(7) Les rugissements des lions nous réveilleront.
(8) Nous attraperons des lions dans ces filets.

V Mettez au pluriel :

(1) Le cheval est aussi intelligent que le chien.
(2) La bicyclette du petit garçon est plus belle que la bicyclette de la petite fille.
(3) La mère de l'enfant est plus fière que le père.
(4) Cette glace est aussi rafraîchissante que cette poire.
(5) Le crayon rouge est plus long que le crayon bleu.
(6) Je me réveillerai demain à sept heures.
(7) Pourquoi a-t-il vendu sa vieille bicyclette ?
(8) Hier matin mon cousin a couru au champ.
(9) Ce pêcheur le donnera à sa petite fille.
(10) La leçon sera intéressante.

VI Mettez-vous à la place du rat et répondez à ces questions que le lion vous fait :

A (1) Bonjour, monsieur le Rat, comment t'appelles-tu ?
(2) Pourquoi es-tu entré dans ce trou sous mon arbre ?
(3) As-tu tâché de me manger ?
(4) As-tu peur de moi ?
(5) Es-tu plus grand ou plus petit qu'un renard ?
(6) Veux-tu mourir ?
(7) Que feras-tu si je te laisse partir ?
(8) Feras-tu attention une autre fois ?

B (1) Bonjour, monsieur le Rat, je suis pris dans ce filet. Peux-tu le ronger ?
(2) Merci, monsieur le Rat, veux-tu être mon camarade ?

VII Mettez-vous à la place du lion. Racontez comment vous vous êtes endormi sous l'arbre, et comment vous avez vu le rat pour la première fois.

VIII Répondez :

(1) Qu'est-ce que le rat trouve sous le grand arbre ?
(2) Comment est ce petit trou ?
(3) Pourquoi le rat s'endort-il ?
(4) Qui se réveille le premier ?
(5) Pourquoi le rat veut-il manger ?
(6) Pourquoi ne peut-il pas sortir du trou ?
(7) Est-ce que le lion est plus grand ou plus petit que le rat ?
(8) Pourquoi le lion rit-il ?
(9) Comment le rat court-il ?
(10) Que fait le rat quand il voit le filet ?

Petit dialogue

LE LION : Bonjour, mon camarade, veux-tu faire une promenade avec moi dans la forêt ?
LE RAT : Oui, je veux bien.
LE LION : Il fait froid aujourd'hui.
LE RAT : Oui, mais pas si froid qu'hier. Le printemps viendra bientôt.
LE LION : Il est difficile d'avoir assez à manger ces jours-ci. Ne trouves-tu pas ?
LE RAT : Oui, seulement je suis plus petit que toi.
LE LION : Pourquoi trembles-tu, mon camarade ?
LE RAT : J'ai vu un chien derrière cet arbre. Il veut me tuer.
LE LION : Il veut te tuer ! Écoute !
(*Le lion pousse son plus grand rugissement. Le chien part aussi vite que possible. Le rat rit beaucoup*)
LE RAT : Merci beaucoup, mon vieux. Merci beaucoup.

LEÇON 18

STEPHEN VA A ROUEN

Rouen,
Vendredi, le 23 juillet

Chers Maman et Papa,

Me voilà enfin arrivé à Rouen, comme je vous l'ai dit dans ma dépêche. Hier j'étais très fatigué après mon long voyage, mais aujourd'hui je ne suis plus fatigué et je peux vous écrire une longue lettre.

A Newhaven je suis monté à bord du paquebot *Londres* de la ligne Newhaven-Dieppe. Ce beau paquebot peut porter 1,450 passagers. Il a fait la traversée en trois heures.

Cependant, la traversée n'a pas été très agréable, à cause de la mer agitée. Je n'ai pas eu le mal de mer. Un vieux monsieur a été très gentil et il m'a parlé tout le temps. Il m'a dit qu'on est souvent malade si l'on n'a rien à faire.

A la douane il y a eu un incident amusant. Un gros monsieur a voulu faire passer quelques petits paquets sans les déclarer. Il a dit au douanier : « Rien à déclarer. » Le douanier a fouillé ses bagages, mais sans rien trouver. A ce moment le gros monsieur a vu une dame de sa connaissance. Il a ôté son chapeau, d'où sont tombés tous les petits paquets. Tout le monde a ri, sauf, naturellement, le gros monsieur et le douanier. Le douanier a fait venir un agent de police. Le gros monsieur a protesté, mais à la fin il est sorti avec le douanier et l'agent.

A la gare de Rouen, oncle Louis, tante Élise, Pauline et Guillaume sont venus me prendre dans leur auto. J'ai été content de les voir. Ils sont tous très gentils.

Ils ont une jolie maison grise, située à douze kilomètres de Rouen. Quand nous y sommes arrivés, leur chien Médor est venu à la porte du jardin nous dire bonjour. Pauline m'a présenté à lui, et il m'a donné la patte, en signe d'amitié. Le chat, Minet, que j'ai vu assis devant la fenêtre, n'est pas descendu. Pauline dit qu'il aime mieux les souris que les gens.

Ce matin, sur la route, j'ai entendu une bicyclette derrière moi. J'ai fait un pas à gauche. Un instant après j'ai été renversé et mon pantalon a été déchiré. D'abord le cycliste s'est fâché, mais quand je lui ai dit que j'étais Anglais il a beaucoup ri et il m'a souhaité un bon séjour en France et une longue vie en Angleterre !

La semaine prochaine je vais à Paris, d'où je vous écrirai une seconde lettre.

Votre fils affectueux,

STEPHEN

Grammar

I ON

This little word is much used in French. It is roughly equivalent to the word 'one' in English, as the following sentence shows :

On est souvent malade si l'on n'a rien à faire.

One is often sick if one has nothing to do.

However, the use of 'one' in English frequently sounds stiff. This sentence would be more natural :

You are often sick if you have nothing to do.

Notice that here the word 'you' does not mean merely the person addressed ; it applies to people in general. Remember that *on* is always third person singular. The *l'* is introduced purely to avoid the clashing of two vowel sounds.

II SANS, FOLLOWED BY THE INFINITIVE

sans les déclarer	without declaring them
sans rien trouver	without finding anything

Whereas the word 'without' is normally followed by the verb form ending in -ing, the word *sans* is followed by the infinitive.

III ME VOILÀ here I am

The expressions *voici* and *voilà* are equivalent to verbs, and they are frequently found with a preceding pronoun object. Learn :

me voilà (voici)	nous voilà (voici)
te voilà	vous voilà
le voilà	les voilà (*masc.*)
la voilà	les voilà (*fem.*)

IV FEMININE OF ADJECTIVES

Note the following :

affectueux, affectueuse   agréable, agréable

V SITUÉ A

Une jolie maison grise, située à douze kilomètres de Rouen.
A pretty grey house twelve kilometres from Rouen.

Située à, necessary in French, requires no equivalent in English.

Vocabulaire

le paquebot, liner, steamship
le passager, passenger
le mal de mer, sea-sickness
le douanier, customs officer
le signe, sign ; *en — d'amitié*, as a sign of friendship
le cycliste, cyclist
le séjour, stay
les gens, people
déclarer, to declare
fouiller, to search
ôter, to take off
protester, to protest
renverser, to knock over
se fâcher, to be (get) angry
souhaiter, to wish
on, one (see GRAMMAR)
la ligne, line
la traversée, crossing
la douane, customs
la connaissance, acquaintance
la fin, end ; *à la —*, in the end
la patte, paw
l'amitié (*fem.*), friendship
à bord, on board
cependant, however
agréable, pleasant
à cause de, because of
agité, -e, rough (of the sea)
sauf, except
situé, -e, situated
affectueux (fem. *affectueuse*), affectionate
j'étais, I was

Exercices

1 Mettez (*a*) *le, la, l'* ou *les*
(*b*) *du, de la, de l'* ou *des*
(*c*) *au, à la, à l'* ou *aux*
(*d*) *ce, cet, cette* ou *ces* devant :

paquebot	cycliste	séjours	pattes	amitié
traversée	douanier	ligne	signe	fin

II Conjuguez :

Je n'ai rien déclaré, tu n'as rien déclaré, etc.
Pourquoi ai-je ôté mon chapeau ? pourquoi as-tu ôté ton chapeau ? etc.
Je me fâcherai, tu te fâcheras, etc.
Je fouille mes bagages, tu fouilles tes bagages, etc.

III Répondez aux questions suivantes :

(1) Où achète-t-on du sucre ?
(2) Où achète-t-on des timbres-poste ?
(3) Où se baigne-t-on ?
(4) Où se couche-t-on ?
(5) Avec quoi écrit-on ?
(6) Où achète-t-on du café et du vin ?
(7) Avec quoi pêche-t-on ?
(8) Avec quoi écrit-on sur le tableau noir ?
(9) Sur quoi s'assied-on ?
(10) A quelle heure va-t-on à l'école en Angleterre ?

IV Remplacez le tiret par *qui* ou *que* (*qu'*) et faites accorder le participe passé s'il y a lieu :

(1) Le paquebot — Stephen a *pris* a *fait* la traversée en trois heures.
(2) Stephen a *parlé* à un monsieur — il a *rencontré* à bord du paquebot.
(3) La dame — le monsieur a *vu* a beaucoup *ri*.
(4) Voilà le gros monsieur — a *caché* les paquets dans son chapeau.
(5) Qu'y a-t-il dans les paquets — il a *caché* ?
(6) Où sont les bagages — le douanier a *fouillé* ?
(7) Le douanier a *regardé* les paquets — sont *tombé* à terre.
(8) Voici le cycliste — a *renversé* Stephen.
(9) Je n'aime pas la vieille bicyclette — mon père m'a *donné*.
(10) La dame — j'ai *rencontré* sur le paquebot a *perdu* ses bagages.

V Remplacez le tiret par l'adjectif possessif convenable :

mon, ma, mes :	— voyage	— traversée
	— signe	— patte
ton, ta, tes :	— fin	— voyages
	— amitié	— ligne
son, sa, ses :	— séjour	— gens
	— connaissance	— parents
notre, nos :	— passagers	— exploit
	— cadeau	— pensées
votre, vos	— projet	— invitations
	— distribution	— phrases
leur, leurs :	— président	— correspondants
	— théâtre	— rideaux

VI Mettez au négatif :

(1) Stephen est arrivé à Rouen.
(2) Il pourra écrire une longue lettre.
(3) La traversée a été agréable.
(4) Le douanier a fouillé ses bagages.
(5) L'oncle Louis et la tante Élise sont venus à la gare.
(6) Le chien est venu et Pauline l'a présenté à Stephen.
(7) Nous nous sommes levés avant huit heures.
(8) J'ai entendu une bicyclette.
(9) Nous le verrons demain.
(10) Vous le lui donnerez ce soir.

VII Mettez à l'interrogatif :

(1) J'ai eu le mal de mer.
(2) Il a ôté son chapeau.
(3) Elle est sortie avec le douanier.
(4) Minet aime les souris mieux que les gens.
(5) Ils sont tous très gentils.
(6) Nous avons entendu une bicyclette.
(7) Il m'a souhaité un bon séjour en France.
(8) Vous irez en Angleterre.
(9) Le douanier a fait venir un agent de police.
(10) Il descendra au paquebot.

VIII Mettez au parfait :

J'arrive au port où je monte à bord du paquebot qui part à midi. Un vieux monsieur me parle tout le temps. Nous faisons une bonne traversée et heureusement je n'ai pas le mal de mer. Quand nous arrivons à Dieppe nous passons par la douane. J'arrive bientôt sur le quai de la gare où je vois mes cousins. Ils sont contents de me voir. Nous montons dans leur auto et nous arrivons vite chez eux.

IX Imaginez que vous avez fait un voyage en paquebot. Faites la description de ce voyage.

(De quel port êtes-vous parti ? Comment s'appelle le paquebot que vous avez pris ? A quelle heure a-t-il quitté le port ? A qui avez-vous parlé ? Qu'est-ce que vous avez vu ? Qu'est-ce que vous avez mangé à bord ? Avez-vous eu le mal de mer ?)

X Répondez :

(1) A qui Stephen écrit-il ?
(2) De quel port est-il parti pour Dieppe ?
(3) Pourquoi la traversée n'a-t-elle pas été agréable ?
(4) Pourquoi le gros monsieur a-t-il ôté son chapeau ?
(5) Le gros monsieur a-t-il ri quand les paquets sont tombés de son chapeau ?
(6) Pourquoi le pantalon de Stephen a-t-il été déchiré ?
(7) Qui aime mieux les souris que les gens ?
(8) Aimez-vous mieux les chiens que les chats ?
(9) Avez-vous jamais été renversé par une bicyclette ?
(10) D'où Stephen écrira-t-il une seconde lettre ?

Petit dialogue

A LA DOUANE

(*Le douanier est derrière son comptoir. Des passagers ouvrent et ferment leurs valises. Un vieux monsieur est devant le douanier*)

DOUANIER : Est-ce que vous avez quelque chose à déclarer ?
VIEUX MONSIEUR : Non, je n'ai rien à déclarer.

DOUANIER : Cigarettes, tabac, parfum ?
V. MONSIEUR : Rien.
DOUANIER : Diamants, montres, bas nylon ?
V. MONSIEUR : Rien.
DOUANIER : Ouvrez cette valise.
V. MONSIEUR : Très bien.

(*Il commence à ouvrir la valise. A cet instant il voit une dame de sa connaissance*)

LA DAME : Ah ! bonjour, monsieur Félix. Quel plaisir de vous revoir !
V. MONSIEUR : Bonjour, madame Célestin.

(*Il ôte son chapeau. De petits paquets tombent à terre. La dame ouvre de grands yeux. Le vieux monsieur ramasse les paquets. Les autres passagers rient*)

DOUANIER : Hé ! qu'avez-vous là ?
V. MONSIEUR : Ce n'est rien.
DOUANIER (*il prend un des paquets et l'ouvre*) : Mon Dieu ! Ce sont des diamants !
V. MONSIEUR : Je ne sais pas qui les a mis dans mon chapeau.
DOUANIER : Henri, faites venir un agent.
V. MONSIEUR : Comment ! un agent ! Je n'ai rien fait.
AGENT : Qu'y a-t-il ?
DOUANIER : Ce monsieur a caché des diamants dans son chapeau.
V. MONSIEUR : Je suis innocent !
AGENT : Vous pourrez le dire au juge.

(*Le vieux monsieur veut se sauver. L'agent le prend par le bras et ils sortent*)

V. MONSIEUR : Au secours ! Au voleur ! Au feu !

quelque chose (*masc.*), something
le tabac, tobacco
le diamant, diamond
ramasser, to pick up
se sauver, to run away
au secours ! help !
le bas nylon, nylon stocking
le parfum, perfume
le juge, judge
qu'y a-t-il ? what's the matter ?
au voleur ! stop thief !
au feu ! fire !

LEÇON 19

STEPHEN VA A PARIS

Paris,
Dimanche, le 1er août

Chers Maman et Papa,

J'ai passé huit jours délicieux à Rouen, et je suis maintenant à Paris. Quand j'y suis arrivé, je suis allé à la gare Saint-Lazare où j'ai trouvé les autres élèves de mon école, monsieur Bryant en tête.

Nous sommes logés à un Pensionnat de Jeunes Filles, situé près de Paris. Les jeunes filles sont en vacances en ce moment. Dans mon dortoir nous sommes vingt garçons.

Vous serez contents d'apprendre que nous mangeons bien. Au lieu du petit déjeuner français — café au lait et petits pains — on nous donne des œufs à la coque et du pain grillé avec des confitures. Le déjeuner et le dîner sont des repas énormes.

Nous voyageons beaucoup par le Métro, parce que c'est bon marché. On achète un carnet, où il y a plusieurs tickets. Avec un seul ticket on peut faire un trajet de n'importe quelle distance. Cependant, il y a souvent trop de voyageurs, et, comme il n'y a pas beaucoup de places pour s'asseoir, presque tout le monde reste debout.

Paris est une très belle ville.

J'aime beaucoup les boulevards et les grandes places. Hier nous sommes allés à la rue de Rivoli, où il y a beaucoup de beaux magasins. Nous avons vu aussi l'Arc de Triomphe, qui est magnifique. Mais c'est le tombeau de Napoléon qui m'a le plus frappé. Pendant notre visite à ce tombeau, une jeune dame est venue y jeter un bouquet de belles fleurs rouges.

J'ai acheté beaucoup de cartes postales pour ma collection. Quand nous irons à Versailles j'en achèterai pour papa.

Vous m'avez dit qu'à Paris les taxis vont très vite. C'est vrai, mais les chauffeurs sont excellents.

Tout près de notre pensionnat il y a un café, où nous allons tous les jours acheter des timbres-poste et où nous buvons du café, du chocolat ou de la limonade. Les propriétaires du café sont très gentils. Ils sont courageux aussi. Pendant la guerre ils ont caché, dans leur café, beaucoup de soldats anglais, canadiens et américains.

Demain, s'il fait beau, nous ferons une promenade en bateau sur la Seine. La Seine à Paris est beaucoup plus propre que la Tamise à Londres. A Paris on peut pêcher !

Votre fils qui vous aime beaucoup,

STEPHEN

Grammar

I FEMININE OF ADJECTIVES

Note these forms :

délicieux	*fem.* délicieuse
canadien	*fem.* canadienne

II NOTE THE TWO FOLLOWING EXPRESSIONS :

en ce moment	at *this* moment
à ce moment	at *that* moment

III HUIT JOURS a week

We find similarly:

quinze jours, a fortnight

Vocabulaire

le trajet, journey
le pensionnat, boarding-school
le dortoir, dormitory
le Métro, (Paris) underground railway
le carnet, book (of tickets)
le ticket, ticket
le voyageur, traveller
le boulevard, wide avenue, boulevard
le tombeau, tomb
le bouquet, bouquet
le chauffeur, chauffeur, driver
loger, to lodge
voyager, to travel
apprendre, to learn (like *prendre*)
n'importe quelle distance, any distance
la coque, shell ; *un œuf à la —*, boiled egg
la distance, distance
la collection, collection
la guerre, war
délicieux (fem. *délicieuse*), delightful, delicious
propre, clean, tidy
grillé, -e, toasted
bon marché, cheap
plusieurs, several
debout, standing
vrai, -e, true
excellent, -e, excellent
canadien (fem. *canadienne*), Canadian
américain, -e, American
en tête, at the head

Exercices

I Mettez (*a*) *le, la, l'* ou *les*
(*b*) *du, de la, de l'* ou *des*
(*c*) *au, à la, à l'* ou *aux*
(*d*) *ce, cet, cette* ou *ces* devant :

collection	voyageur	dortoir	carnets	ticket
chauffeurs	tombeaux	distance	coque	trajet

II Conjuguez :

J'ai beaucoup voyagé, tu as beaucoup voyagé, etc.
J'apprends le français, tu apprends le français, etc.

A quelle heure me suis-je levé ? à quelle heure t'es-tu levé ? etc.

Je ferai une promenade, tu feras une promenade, etc.

III Ajoutez l'adjectif à la forme convenable :

délicieux :	un repas ——	cette journée ——
	des pique-niques ——	des histoires ——
excellent :	un — élève	une — école
	une — collection	
américain :	des voyageurs ——	mon oncle ——
	des garçons ——	une correspondante ——
canadien :	des chiens ——	des pommes ——
	nos cousines ——	ma tante ——

IV Mettez le passage suivant au temps futur :

Nous sommes logés à un Pensionnat de Jeunes Filles. Dans mon dortoir nous sommes vingt garçons. Nous mangeons bien. On nous donne des œufs à la coque. Mes camarades aiment beaucoup les boulevards et les grandes places. Ils achètent des cartes postales pour leurs collections. Nous allons tous les jours à un café où nous achetons des timbres-poste et où nous prenons du café ou de la limonade. Quand il fait beau nous nous promenons près de la Seine.

V Remplacez les mots en italique par le pronom convenable (le, la, l', les) et faites accorder le participe passé :

(1) J'ai passé *huit jours délicieux* à Rouen.
(2) J'ai trouvé *les autres élèves de mon école.*
(3) Nous avons vu *la jeune fille.*
(4) Une jeune dame a jeté *les fleurs rouges.*
(5) Ils ont caché *le soldat* dans leur café.
(6) Ils ont pris *les poissons* dans la Seine.
(7) Avez-vous acheté *les tickets* à la gare ?
(8) Où as-tu mis *mes valises* ?

VI Faites une petite description de votre ville (village). Imaginez que vous avez invité un(e) ami(e) à passer quelques jours chez vous. Dites ce que vous allez faire.

VII Mettez-vous à la place de Stephen et répondez aux questions suivantes :

(1) Mangez-vous bien à Paris ?
(2) Comment voyagez-vous ?
(3) Pourquoi tout le monde reste-t-il debout dans le Métro ?
(4) Avez-vous acheté des cartes postales pour votre collection ?
(5) Que ferez-vous quand vous irez à Versailles ?
(6) Les taxis vont-ils très vite à Paris ?
(7) Où achetez-vous vos timbres-poste ?
(8) Comment sont les propriétaires du café ?
(9) Qu'est-ce qu'ils ont fait pendant la guerre ?
(10) Que ferez-vous demain s'il fait beau ?

Petit dialogue

DES FRANÇAIS AIDENT UN SOLDAT ANGLAIS

(*La scène représente l'intérieur d'un café*)

PATRON : Je vais fermer maintenant. Il est onze heures. Je suis très fatigué. Il est l'heure d'aller nous coucher.

PATRONNE : Très bien, Henri. (*Elle regarde par la fenêtre*) Quelle nuit affreuse. La neige tombe toujours.

(*On entend frapper à la porte*)

PATRON : Qui est-ce ? Ça ne peut pas être un client à cette heure. (*Il ouvre la porte. Un homme entre et referme vite la porte*) Qui êtes-vous ? Que désirez-vous ?

HOMME : Je suis un soldat anglais. Les Allemands me poursuivent. Ils ne sont pas très loin. Pouvez-vous me cacher ?

PATRON : Vite, descendez dans la cave. (*Il ouvre une trappe derrière le comptoir. Le soldat y descend*) Ne faites pas de bruit.

PATRONNE : Qu'est-ce que nous allons faire si les Allemands arrivent ? (*On frappe à la porte*) Ils sont déjà là !

PATRON : Ne t'inquiète pas, Yvette.

(*Il ouvre la porte. Deux Allemands sont là*)

PREMIER ALLEMAND : Un Anglais est venu ici, tout à l'heure ?

PATRON : Non, messieurs. Mais entrez donc. Vous avez froid. Je vais vous donner un verre de rhum.

PREMIER ALLEMAND : Merci beaucoup, patron. Il fait très froid ce soir.

PATRON : Voilà, messieurs. (*Il leur donne du rhum où il a mis un stupéfiant, qu'ils boivent tout de suite*) Encore un petit verre, messieurs. (*Il remplit les verres*)

DEUXIÈME ALLEMAND : Merci, patron. (*Ils boivent*) Il fait bien chaud ici. (*Le* PREMIER ALLEMAND *ferme les yeux*) Mon Dieu, que je suis fatigué !

(*Le* PREMIER ALLEMAND *commence à ronfler. Son camarade l'imite bientôt. Alors le patron ouvre la trappe ; le soldat anglais sort de la cave ; le patron le mène à la porte*)

PATRON : Deuxième rue à droite. Numéro quinze. Frappez trois fois. Quand on ouvrira, dites : « Café Colomba. » On vous aidera. Au revoir. Bonne chance !

SOLDAT : Deuxième à droite. Numéro quinze. Café Colomba. Merci, patron, merci. Au revoir. Vive la France ! (*Il sort*)

le client, customer
un Allemand, a German
le patron, boss, ' guv'nor '
le stupéfiant, drug
le rhum, rum
la cave, cellar
la trappe, trap-door
poursuivre, to pursue
tout à l'heure, just now

LEÇON 20

DEUX JOURS IMPORTANTS

LE TRENTE JUIN

En France le trente juin est une date importante dans l'année scolaire. D'abord, c'est la fin du trimestre d'été, et puis aussi, c'est le jour de la distribution des prix.

C'est aujourd'hui le trente juin, et Amédée Lefèvre, qui a gagné un prix, se présente à neuf heures moins le quart devant l'entrée du cinéma « Étoile », où la distribution va avoir lieu. Quand le rideau se lève à neuf heures on voit sur la scène le directeur de l'école, tous les professeurs, le maire de la ville et beaucoup d'autres personnages importants.

Le directeur donne son rapport... c'est long ! Un monsieur, qui vient de l'université prochaine pour distribuer les prix, fait aussi un discours... c'est long ! Le maire dit quelque chose... c'est long ! Mais on arrive enfin à la distribution des prix. Heureusement, on commence par la classe de sixième, les petites. Amédée, qui a treize ans, est en cinquième, et quand elle reçoit son prix — un beau livre rouge — elle est contente. Toute la famille est contente aussi, parce qu'elle a beaucoup travaillé pendant toute l'année. Cet après-midi ce sera le tour de son frère, Jean-Paul, qui recevra aussi un beau prix.

LE QUATORZE JUILLET

Le quatorze juillet est aussi en France un jour très important, parce que c'est le quatorze juillet 1789 que la Bastille — vieille prison à Paris — a été prise par les révolutionnaires.

Aujourd'hui le quatorze juillet est une fête nationale. Tout le monde a congé. Dans la ville où demeure Amédée, située sur les bords du lac Léman, les rues principales sont décorées de drapeaux. Le matin, tous les élèves font une longue procession,

Les danseurs se tiennent par la main sur une longue file. C'est la farandole, danse d'origine provençale.

la musique de la ville en tête. Ils s'arrêtent devant le Monument aux Morts de la Guerre, où le sous-préfet fait un discours et puis pose une couronne de fleurs au pied du Monument.

Le soir, tout est gaieté. Il y a des projecteurs qui illuminent les monuments principaux. Devant la mairie a lieu un bal public avec un excellent orchestre. Il n'y a rien à payer ! On boit, on danse. On danse surtout la farandole. Pour danser la farandole, on se tient par la main pour faire une longue ligne, puis on se met en route... à travers places et marchés, dans les cafés, dans les magasins, dans les escaliers... partout !

Enfin, pour mettre le comble à cette splendide journée, on tire sur le lac un grand feu d'artifice.

Grammar

I RECEVOIR to receive

Recevoir forms its tenses in the same way as *devoir*, but notice the cedilla :

Present tense

je reçois	nous recevons
tu reçois	vous recevez
il (elle) reçoit	ils (elles) reçoivent

Negative	*Interrogative*
je ne reçois pas	est-ce que je reçois ?
tu ne reçois pas, etc.	reçois-tu ? etc.

Perfect tense

j'ai reçu, tu as reçu, il a reçu, etc.

Future tense

je recevrai, tu recevras, il recevra, etc.

II ADJECTIVES

Note the following :

national	*masc. plur.*	nationaux
principal	*masc. plur.*	principaux
public	*fem. sing.*	publique
splendide	*fem. sing.*	splendide

III PLURAL

Note :

le drapeau *plur.* les drapeaux

Vocabulaire

le trimestre, term
le maire, mayor
le personnage, person, character
le rapport, report
le tour, turn
le révolutionnaire, revolutionary
le drapeau, flag
le monument, monument
le mort, dead man
le sous-préfet, under-prefect (a Government official)
le projecteur, searchlight, flood-light
le bal, ball, dance
un orchestre, an orchestra
un escalier, a staircase
le comble, the finishing touch
le feu d'artifice, fireworks, firework display
le lac Léman, Lake of Geneva
quelque chose (*masc.*), something
se présenter, to present oneself, appear
la date, date
l'université (*fem.*), university
la scène, stage
la prison, prison
la procession, procession
la musique, music, band
la couronne, crown, wreath
la gaieté, gaiety
la mairie, town hall
la farandole, farandole (dance)
scolaire, scholastic
national, *-e*, national
principal, *-e*, principal
public (fem. *publique*), public
splendide, splendid, glorious
à travers, across, through
illuminer, to light up
s'arrêter, to stop
se mettre en route, to start on one's way
poser, to place
recevoir, to receive

Exercices

1 Mettez (*a*) *le*, *la*, *l'* ou *les*
(*b*) *du*, *de la*, *de l'* ou *des*
(*c*) *au*, *à la*, *à l'* ou *aux*
(*d*) *ce*, *cet*, *cette* ou *ces* devant :

monument	universités	trimestre	dates	tour
drapeaux	procession	personnages	maire	scènes

II Conjuguez :

Je reçois un cadeau, tu reçois un cadeau, etc.
Je m'arrêterai devant la porte, tu t'arrêteras..., etc.
Ai-je dansé la farandole ? as-tu dansé la farandole ? etc.
Je me suis présenté à l'entrée, tu t'es présenté à l'entrée, etc.

III Remplacez le tiret par l'adjectif possessif convenable :

mon, ma, mes :	— université	— rapports
	— tour	— gaieté
ton, ta, tes :	— mairie	— monument
	— procession	— projecteurs
son, sa, ses :	— orchestre	— révolutionnaires
	— personnage	— drapeaux
notre, nos :	— gaieté	— morts
	— tour	— bal
votre, vos :	— sous-préfet	— escaliers
	— rapport	— maire
leur, leurs :	— prison	— musiques
	— couronnes	— gaieté

IV Mettez au négatif :

(1) C'est la fin du trimestre.
(2) Amédée est en cinquième.
(3) Le directeur donne un rapport.
(4) Avez-vous dansé la farandole ?
(5) On danse la farandole.
(6) Sommes-nous allés au lac Léman ?
(7) Avez-vous treize ans ?
(8) La Bastille a été prise par les révolutionnaires.

V Mettez au pluriel :

(1) Je donne mon rapport.
(2) Il se présentera devant l'entrée.
(3) Mon ami a gagné un prix.
(4) Elle s'est arrêtée près du bateau.
(5) J'ai aimé le beau livre rouge.

(6) Ton père regarde ce beau monument.
(7) Son rapport a été long.
(8) Un projecteur illumine le monument principal.
(9) La couronne sera belle.
(10) La procession s'arrête devant le monument.

VI Remplacez le tiret par *qui* ou *que* (*qu'*) et faites accorder le participe s'il y a lieu :

(1) Voilà le directeur — a *donné* un rapport.
(2) Nous n'avons pas *écouté* le rapport — le directeur a *donné*.
(3) Amédée, — a treize ans, est en cinquième.
(4) Elle a un frère — recevra un prix cet après-midi.
(5) La Bastille était une vieille prison — les révolutionnaires ont *pris*.
(6) Voici la couronne — le sous-préfet a *posé* au pied du monument.
(7) Amédée aime le beau livre — elle a *reçu*.
(8) La danse — nous avons *dansé* s'appelle la farandole.
(9) Nous avons *aimé* les drapeaux — nous avons *vu* dans les rues principales.
(10) Avez-vous *vu* le feu d'artifice — on a *tiré* hier soir ?

VII Répondez :

(1) Pourquoi le quatorze juillet est-il une date importante ?
(2) Où demeure Amédée Lefèvre ?
(3) De quoi les rues principales de la ville sont-elles décorées le quatorze juillet ?
(4) Que font les élèves le matin de ce jour ?
(5) Qui pose une couronne de fleurs au pied du Monument aux Morts de la Guerre ?
(6) Comment les monuments principaux sont-ils illuminés ?
(7) Que fait-on pour danser la farandole ?
(8) Où tire-t-on le grand feu d'artifice ?
(9) Avez-vous jamais vu un grand feu d'artifice ?
(10) Dansez-vous à la fin de l'année scolaire ?

LA MARSEILLAISE

2

Amour sacré de la patrie,
Conduis, soutiens nos bras vengeurs :
Liberté, liberté chérie,
Combats avec tes défenseurs. (*bis*)
Sous nos drapeaux, que la victoire
Accoure à tes mâles accents !
Que tes ennemis expirants
Voient ton triomphe et notre gloire !
Aux armes, etc.

REVISION EXERCISES

Lessons 16-20

I Mettez (*a*) *le*, *la*, *l'* ou *les*
(*b*) *au*, *à la*, *à l'* ou *aux*
(*c*) *son*, *sa* ou *ses* devant :

connaissance	université	aventures	amitié	douane
créatures	arrière	traversée	voleurs	entrée
rayons	forêt	chef	gens	fin

II Conjuguez :

J'espère que je recevrai un cadeau, tu espères que tu recevras un cadeau, etc.
Je protégerai mon petit ami, tu protégeras ton petit ami, etc.
Je n'ai pas reçu mon prix, tu n'as pas reçu ton prix, etc.
Je courrai à la gare, tu courras à la gare, etc.
Je reçois mes amis, tu reçois tes amis, etc.

III Mettez au temps présent les verbes suivants :
tenir écrire se réveiller s'appeler prendre

IV Mettez au temps parfait et à la forme négative les verbes suivants :
courir se promener venir vouloir avoir

V Mettez au temps futur et à la forme interrogative les verbes suivants :
savoir courir recevoir jeter envoyer

VI Écrivez en toutes lettres :

15	75	80	81	99
4e	9e	17e	21e	90e

VII Remplacez le tiret par *qui* ou *que* (*qu'*) et l'infinitif par le participe passé :

(1) La montre — l'élève a (casser).

(2) Les tours — Michel a (faire).
(3) Les spectateurs — ont (applaudir).
(4) La surprise — le directeur a (avoir).
(5) Les petits garçons — ne sont pas (aller) à l'école.
(6) Les petites filles — se sont (baigner) dans le lac.
(7) Les promenades — nous avons (faire) à la campagne.
(8) Les prix — mes camarades ont (recevoir).
(9) La dame — nous a (donner) ces bonbons.
(10) La rivière — ils ont (traverser).

VIII Décrivez les photographies de Rouen (pages 105-106).

IX Remplacez le tiret par l'adjectif convenable :
(1) Le lion est le plus — de tous les animaux.
(2) La Seine est plus — que la Tamise.
(3) La limonade est aussi — que la grenadine.
(4) Paris est plus — que Rouen.
(5) Les jours d'été sont plus — que les jours d'hiver.
(6) En janvier il fait moins — qu'en juillet.
(7) Je ne suis pas aussi — que mon père.
(8) Roger est le plus — de tous les éclaireurs.
(9) Le professeur de latin est plus — que le professeur de français.
(10) La Tour Eiffel est plus — que la Cathédrale de Notre-Dame.

X Répondez :
(1) Quel est le fruit le plus rafraîchissant ?
(2) Quelle est la leçon la plus intéressante ?
(3) Quelles sont les plus petites créatures de la forêt ?
(4) Est-ce que le rat est aussi courageux que le lion ?
(5) Est-ce que le renard est plus rusé que le chien ?
(6) Est-ce que les petites filles sont en général plus intelligentes que les petits garçons ?
(7) Est-ce que votre oreille droite est plus longue que votre oreille gauche ?

(8) Est-ce que les fleurs sont plus belles au printemps qu'en automne ?
(9) Est-ce que Paris est plus grand que Londres ?
(10) Est-ce que vos vacances sont plus longues que les vacances des jeunes Français ?

en général, generally

JEU

Columns

Ten to fifteen nouns, singular and plural mixed, are written in a column in the middle of the blackboard. A parallel column headed *le*, *la*, *les* is drawn to the right of this first column, and one similarly headed is drawn to the left. Additional columns headed *du*, *de la*, *de l'*, *des* are drawn both right and left. The class is divided into two teams. The captain of each side has a piece of chalk. At a given signal each goes to the blackboard and in the first column, right or left as the case may be, makes an entry (*le*, *la*, *l'* or *les*) against one of the words in the centre column. He then returns to his place, passing the chalk to the next member of his team who goes to the board and makes his entry in the same column. The second column must not be attempted until the first is passed as correct by the teacher. Each team must find its own mistakes, and any member may correct a mistake. The team finishing first is the winner. This game can be used to practise possessive adjectives, demonstrative adjectives, etc.

PASSAGES FOR TRANSLATION INTO FRENCH

1

Henry is not happy. The holidays end today and tomorrow he is going to return to school. Henry likes the holidays ; he also likes football and cycle rides, but he does not like his lessons, especially mathematics and history.

Henry goes into the drawing-room. His father, sitting in a chair in front of the fire, is sleeping.

'Have you all your books, Henry ?' asks his mother.

'No, Mother,' says Henry, 'my history book and my maths book are not with the others.'

'Where are you going tonight ?' asks his mother.

'I am going to the cinema with Gérard.'

'You are not going to the cinema,' his mother replies ; 'you are going to find your books.'

2

Roger and his brother John are going to the post office. Roger is carrying two parcels and John has some letters.

They enter the post office and go to the counter.

'How much is it to send these two parcels to England, please ?' asks Roger.

The clerk puts one of the parcels on the scales. Then he puts the other parcel on the scales.

'Two hundred and fifty centimes,' he says.

Roger gives the money to the clerk. Then John buys some stamps at fifty centimes. They say goodbye to the clerk and leave the post office, very pleased with their first visit.

3

Gérard and his brother Jack are spending their summer holidays with an old uncle who lives in a fine castle.

One evening Gérard tells his uncle that they are going to look for a hidden treasure, but his uncle laughs and says that there is no treasure in the castle.

The two boys go to bed at half-past eight and at nine o'clock they are asleep.

Next day they get up at six o'clock and begin to search for the treasure. They examine the walls of their room. Suddenly a little door opens. They find some shoes and some old books, but they do not find the treasure.

4

Mr. Brunot is in the bathroom. There is no towel. He shouts to his wife :

'Yvonne, where is the towel ?'

Mrs. Brunot comes into the bathroom, finds a towel and gives it to Mr. Brunot. He takes it and puts it on a chair.

Ten minutes later he goes down to the kitchen. On the table there are some sandwiches. He takes them and puts them into his small bag.

'What's the time, Yvonne ?' he asks.

'Ten minutes to nine, John,' she replies. 'The children are ready. They are in the garden.'

Mr. Brunot says goodbye to his wife and goes out into the garden. Mrs. Brunot goes to the door, closes it, sits down near the fire and takes her cup of tea.

5

'Mother,' says Armand Poirier one morning, 'I do not want to go to school. I am ill.'

Mrs. Poirier leaves Armand and goes down to the kitchen where she finds Mr. Poirier sitting at the table.

'Armand is ill,' she tells him. 'I am going to telephone to the doctor.'

Mr. Poirier hears Armand's groans and he laughs.

'Little boys often pretend to be ill when they do not want to go to school,' he replies.

He goes to his son's bedroom and shows him an unpleasant black liquid in a big bottle. Armand immediately starts to get up.

When Mr. Poirier returns to the kitchen his wife looks at him.

'He is already better,' he says.

6

It is eight o'clock. Mr. and Mrs. Martineau and their two children are in the drawing-room. There is a good fire because it is cold.

'What are we going to do ?' asks Gabrielle.

'We are going to decorate the Christmas tree,' says her mother. 'We are going to put it in this bucket.'

'Have we any red paper ?' asks Gabrielle.

'Yes, let us put it round the bucket.'

'I am going to put the candles on the tree,' says Léon, 'and the little bells. Let us look for them now.'

'They are in a box in the kitchen, and there are some silver stars, too. Do not break them.'

7

It is two o'clock. Marcel wants to show some conjuring tricks to his mother and his little brother George, because this evening he is going to do them at the big concert.

To begin with he takes two cigarettes and gives them to George. George looks at them, then he throws them on the fire. Marcel is annoyed.

'Hold them !' he says. 'Do not throw them on the fire.'

Then he takes two more cigarettes, goes to George and gives them to him. George sniffs at them and then he puts them into his mouth. Mrs. Leblanc laughs, George and Marcel laugh. But Mr. Leblanc does not laugh when he arrives at six o'clock.

8

Louisette Rousset and her two brothers are going to have a picnic and they have invited three friends.

Mrs. Rousset is in the kitchen with the children. They have finished their breakfast, but Louisette has forgotten to drink her coffee. She has lost her five-franc note.

Suddenly Richard sees that Médor, the dog, is eating a piece of paper and he shouts :

'Médor has eaten your note !'

But Louisette gives a biscuit to Médor and takes her piece of paper.

Then Richard notices that his friend Charles has brought a bottle of grenadine. He says to his sister :

'I am always thirsty when I go for a picnic. Aren't you always thirsty too, Louisette ?'

'Always,' she replies.

9

It is a quarter to eight. Louisette and her two brothers are in the drawing-room. They have finished their meal, and their father is sitting in his chair in front of the fire.

'Your mother tells me that you have been to Chamvert today. Did you have a good time ?'

'Yes, Father. We took the bus and arrived at the village at ten o'clock. Then we went to the lake near the castle.'

'Did you bathe in the lake ?'

'Yes, we bathed in the lake before lunch and then we lay down in the sunshine.'

'Did your friends enjoy themselves too ?'

'Oh yes, but Odette and Charles fell into the water and Charles also lost his shoes.'

10

In summer the days are long and warm, and the animals, birds and insects easily find plenty to eat.

But the ant knows that autumn is going to come soon and, after autumn, winter. During the fine summer days she works hard and when winter comes she is not hungry.

One day she sees two grasshoppers, her neighbours. It is very cold. The leaves have fallen from the trees and now the snow is falling on the leaves. The grasshoppers are tired and hungry.

'Will you lend us some grain, my dear?' they ask. 'We are hungry and we have nothing to eat.'

'During the summer,' replies the ant, 'you sang. Very well, dance now.'

11

One morning the postman brought a letter to Mrs. Desnoix. 'Oh, dear,' she said to her daughter Yvonne. 'Your aunt Janine is ill. I must go to see her immediately.'

'Well, Rémy,' said Yvonne to her brother, 'we must do the housework.'

Rémy made the beds while Yvonne tidied the rooms. Then Yvonne prepared a meal, which they ate in the kitchen.

After lunch they rested a little in the drawing-room. Then Yvonne said:

'Now let us prepare the dinner for Father, who always returns at six.'

Yvonne prepared the meat and the vegetables. Rémy made a pancake, but when he tossed it, it fell on his head.

12

Mr. and Mrs. Leblanc live in a small town. Their house has seven rooms—a kitchen, a dining-room, a drawing-room and four bedrooms. Their daughter Claire has a bedroom that looks out on the garden. Her brother George has a small bedroom. Near his bed there is an orange-box. George has many books and he often reads in bed. He bought this box and put it in his bedroom. In the box he put all his books.

George has a dog. It is called Médor. Médor likes his kennel. He also likes the little old blanket which George has given him. Yesterday Mrs. Leblanc gave him some bones and he hid them under his blanket.

13

Leicester,
Saturday, 11th July

My dear Pauline,

I can reply now to your letter because I finished my homework last night.

Our Prize Distribution took place last week, but I did not win a prize. I do not like Prize Distributions. Everyone makes long speeches. Last Thursday our headmaster and five other important persons made speeches.

Our headmaster is very strict. He never laughs. A small boy went up on to the stage and a dog followed him. Everyone laughed, even the chairman. But the headmaster was angry.

Can you find some correspondents for three of my friends, please ?

Your affectionate cousin,
STEPHEN

14

MARCELINE : Oh, Mother, tomorrow I am going for a picnic near Poligny with some friends.

MOTHER : At what time will you leave ?

MARCELINE : I shall start from home at nine o'clock, catch the bus at ten past nine and arrive at the station at twenty past nine. The train leaves at half-past nine. Mr. Chaudron, our teacher, and his wife, are going to come with us.

MOTHER : And what will you do on the train ?

MARCELINE : Oh, we shall read and talk. Mr. Chaudron will not talk. He will read his newspaper and smoke his old pipe.

MOTHER : Are you going to take your bathing-costume ?

MARCELINE : Of course ! After lunch we shall go down to the river and we shall bathe all afternoon.

15

MOTHER : Where are you going this morning, George ?

GEORGE : I am going round the shops with Philip. We are going to buy a present for Henry. It is his birthday next week.

MOTHER : It is cold today. You will need your overcoat.

GEORGE : Yes, Mother. I will put it on straight away.

MOTHER : What time will you come home ?

GEORGE : I shall come home before twelve. This afternoon, if it is not raining, I shall go to the cinema with Philip and Henry. The film that we shall see is called ' Mr. Hulot's Holiday '. It is a very amusing film.

MOTHER : Have you finished your homework ?

GEORGE : No, Mother. But I shall be able to finish it tonight.

16

Last Saturday Gérard Desmoulins and his friend, Étienne Poiret, helped the police to catch two thieves.

The boys left home at seven o'clock to go to the house of a friend, Robert Boileau. Near the door of Robert's house they saw a man hiding behind a tree. Then under a small window they noticed a second man. This man opened the window and entered the house. The first man then went to the window.

' Everyone has gone out,' he said to the second man. ' You will easily open the safe and we shall be able to take the money and the papers.'

But the two boys telephoned to the police immediately. Three policemen came and captured the thieves without difficulty.

17

One day in the forest a fox meets a rat. The fox is hungry and he says to the rat :

'I am hungry and I am going to eat you.'

The rat is not afraid.

'You are bigger than I, of course,' he says, 'but you cannot eat me.'

'And why not?' asks the fox.

'Because I have a friend who is bigger than you.'

'Ah, and who is this enormous friend?'

'He is not the biggest but he is the noblest and the bravest of all the animals.'

The fox laughs.

'The lion, your friend? Impossible!'

And he approaches the rat to eat him. But the lion comes out from behind a tree.

'Be careful!' he says. 'The rat is smaller than you, but he is more intelligent. And do not forget that I am his friend.'

18

Rouen,
Friday, 31st July

Dear Father and Mother,

I sent you a telegram when I arrived here yesterday. I found Pauline and Aunt Janine at the station and we arrived at their house at seven o'clock.

The sea was not rough and we made the crossing in three hours. I spoke all the time to a young Frenchman.

At Dieppe everyone went to the Customs Office. 'I have nothing to declare,' I said, and the Customs officer did not examine my suitcase. 'Open that case,' he said to another passenger. In the case he found six watches!

Uncle William has a lovely house, but of course you have seen it. Aunt Janine showed me my bedroom. From the window you can see the Seine.

Your loving son,
STEPHEN

19

Paris,
Monday, 10th August

Dear Father and Mother,

I left Rouen early this morning. I went to the station in Uncle William's car and caught the 7.40 train. Pauline came with me to the station. She has promised to come to England next year.

I had lunch at a restaurant near the Saint-Lazare Station in Paris. After lunch I went to the North Station and waited for the train from Boulogne, which arrived at ten minutes to two. I soon found Mr. Wilson and my school friends.

Tomorrow we are going to Versailles to see the palace of Louis XIV. When we are at Versailles I shall send you some postcards.

I shall have much to tell you when I see you next week.

Your loving son,
STEPHEN

20

Miss Desplaix is speaking to her pupils. 'We are at the end of the school year. The summer holidays will begin tomorrow after the Prize Distribution. I shall see you all at nine o'clock at the Étoile Cinema. I shall be on the stage with all the other teachers. The mayor will be there and many other important persons. You will not talk when the headmistress makes her speech and you will not eat sweets in the cinema. You are lucky. The boys will receive their prizes in the afternoon.

'I hope you will enjoy yourselves during the holidays. Next week you will be going to the seaside or the country. I am going to visit some friends in England.'

PASSAGES FOR AURAL COMPREHENSION OR DICTATION

(Questions on these passages will be found on p. 196)

1 Demain Marcel retourne à l'école après les vacances d'été. Il est très heureux parce qu'il aime presque toutes ses leçons. Sa mère aussi est contente. Marcel aime le professeur d'histoire. Le professeur d'histoire a les cheveux bruns et les yeux bleus. Marcel aime l'histoire, mais il préfère le dessin et les mathématiques.

2 J'écris souvent à ma tante qui demeure en Angleterre. Quand je désire envoyer une lettre je vais au bureau de poste et j'achète des timbres-poste. Pour envoyer une lettre j'achète un timbre à cinquante centimes et pour envoyer une carte postale j'achète un timbre à trente centimes. J'aime beaucoup ma tante. Elle m'envoie souvent des colis postaux.

3 Aimez-vous les vieux châteaux ? Moi, je les aime beaucoup. Je demeure dans le château de mon oncle. Dans ce château il y a beaucoup de cachettes. Il y a une porte dérobée dans ma chambre. Quand je me couche je pousse toujours le bouton secret et la porte s'ouvre. Derrière le mur il y a une grande malle. Mais dans la malle il n'y a pas de trésor. Il y a une paire de vieux souliers !

4 Henri a un livre très intéressant, et quand sa mère parle à son fils il ne l'entend pas. Sa mère désire fermer la malle, mais le père est dans la salle de bain. Il se lave. Henri aide sa mère à fermer la malle. Quand la tante et l'oncle arrivent monsieur Brunot est toujours dans la salle de bain. Il désire se raser, mais son rasoir est dans la malle. Son faux col est dans la malle aussi !

5 Il y a des élèves qui aiment l'école, mais Jean Dubonnet ne l'aime pas. Il est très rusé. Un matin il fait le malade. Il pousse des gémissements affreux. Sa mère téléphone au médecin. Quand le médecin arrive Jean commence à éternuer. Le médecin regarde Jean, puis il prépare un liquide noir et désagréable. Quand Jean commence à le boire il veut se lever. Le médecin ferme un œil et lui dit : « Deux grandes cuillerées toutes les quinze minutes. »

6 Les deux enfants décorent l'arbre de Noël. C'est un très bel arbre. Henri met du papier rouge autour du seau et Marie attache les petites bougies. Puis Henri trouve les clochettes qui sont dans la salle à manger. Le père et la mère admirent l'arbre. Minet, le chat, arrive et admire l'arbre aussi. Puis il grimpe sur l'arbre et commence à manger une bougie.

7 Quand notre professeur de français fait des tours de prestidigitation tous les élèves applaudissent. Le professeur tire des rubans bleus de l'oreille gauche d'un des élèves. Puis il lui donne un chocolat. Le petit garçon le mange. Le professeur trouve un autre chocolat dans l'œil du petit garçon et le donne au directeur. Le directeur le mange. Les élèves applaudissent. Ils aiment le directeur. Ils aiment aussi les chocolats.

8 Ma sœur Louisette et moi, nous avons organisé un pique-nique. Nous avons invité des amis à venir avec nous. Un de nos amis a apporté des gâteaux et un autre a apporté une boîte de poires. Notre mère a préparé des sandwichs avec du jambon. Nous avons mis les sandwichs, les gâteaux et la boîte de poires dans un panier. Henri l'a porté parce qu'il est très grand. J'ai mis aussi une balle dans le panier parce que nous aimons jouer avec une balle.

9 André, Louisette et leurs amis ont fait un pique-nique. Ils sont allés à un vieux château. Les garçons se sont baignés dans un lac. Mais l'eau du lac est très froide et les jeunes

filles ne se sont pas baignées. Les enfants ont eu beaucoup à manger. Jean a pris beaucoup de photographies mais il a oublié de mettre la pellicule dans l'appareil. Une petite fille a déchiré sa robe et une boîte de poires est tombée dans l'eau, mais les enfants se sont bien amusés.

10 Une cigale qui chante très bien a chanté pendant tout l'été. Elle a trouvé beaucoup de grain à manger et elle n'a pas travaillé. Mais quand l'hiver est arrivé elle a eu faim. Elle a cherché partout, mais elle n'a rien trouvé. Son amie, la fourmi, n'a rien voulu lui prêter. Elle a dit à la cigale : « Pendant tout l'été vous avez chanté. Vous n'avez pas voulu travailler comme moi. Eh bien ! dansez maintenant. »

11 Avez-vous aidé votre mère à faire le ménage ? Un jour, Charles et Mimi, les enfants de ma voisine, ont aidé leur mère à faire le ménage. Charles a fait les lits et Mimi a rangé les chambres. Ils ont bien travaillé. Puis ils ont préparé les légumes — oignons, pommes de terre, carottes, petits pois — et Charles a mis la table. Charles est prestidigitateur. Il a essayé de faire sauter deux crêpes à la fois. Une des crêpes s'est collée au mur. L'autre est retombée sur la tête de sa sœur.

12 Dans notre jardin nous avons un grand arbre. Sur une branche de cet arbre il y a un nid, où il y a quatre petits œufs bleus. Hier un petit garçon a grimpé dans notre arbre et il a regardé les œufs. J'ai vu ce petit garçon de ma fenêtre. Notre chien, Médor, est sorti de sa niche et il a vu le petit garçon. Le petit garçon est vite descendu de l'arbre et Médor l'a chassé. Médor n'aime pas les petits garçons. Il n'aime pas les chats non plus. Il aime les os, les biscuits, sa niche et son vieux sac.

13 Je m'appelle Georges. Je vais à l'école. Cet après-midi je ne suis pas allé à l'école. Pourquoi ? Parce que notre distribution des prix a eu lieu aujourd'hui. Je n'aime pas les distributions de prix. Pourquoi ? Parce que je n'ai jamais

remporté de prix à l'école. Mais aujourd'hui il y a eu un incident très amusant. Il y avait des lions dans une cage cachée derrière un rideau. Quand le directeur s'est levé pour faire son discours tous les lions ont commencé à rugir ! Les élèves ont ri et ils ont applaudi. Mais le directeur n'a pas été content.

14 Ma cousine Pauline m'a invité à passer les vacances d'été chez elle. Elle me dit qu'il y a beaucoup à voir à Rouen. Je visiterai la cathédrale, et la Place du Vieux-Marché où Jeanne d'Arc a été brûlée. Rouen est un port important, et s'il fait beau je me promènerai en bateau sur la Seine. Près de la maison de Pauline il y a un petit bois avec une rivière, et nous nous baignerons dans cette rivière. Nous y pêcherons aussi.

15 Demain je me lèverai à six heures. Je descendrai à la salle à manger et je préparerai le petit déjeuner. Sur la table je mettrai du pain avec du beurre et de la confiture. J'y mettrai aussi des tasses et des assiettes. Puis quand maman et papa descendront ils pourront prendre leur petit déjeuner tout de suite. Ils seront contents. Minet aussi sera content de me voir. Je lui donnerai du lait et peut-être du poisson.

16 Aristide Desmoulins a aidé la police à prendre trois voleurs. Il a vu trois hommes sortir de la maison voisine. Ils ont couru vers une automobile. Un des hommes a mis un gros sac dans l'automobile, les trois hommes y sont montés, et l'automobile est vite partie. Mais Aristide, qui est éclaireur, a sauté sur l'arrière du véhicule, et quand l'automobile s'est arrêtée il est allé téléphoner à la police. Quatre agents sont bientôt venus et ils ont pris les trois voleurs.

17 Voici l'histoire d'un petit rat qui a aidé son ami le lion. Le lion a été pris dans un filet. Il a eu peur et il a commencé à rugir. Le rat l'a entendu et il a dit à sa femme : « C'est mon ami le lion qui a rugi. Je vais l'aider. » Le rat est allé trouver son ami dans le filet. Quand il a vu le lion il a com-

mencé tout de suite à ronger le filet. Bientôt le lion a pu sortir du filet et les deux amis sont vite partis chez eux.

18 Quand on passe par la douane un douanier fouille généralement les bagages. L'été dernier, quand je suis allé en France, j'ai vu à la douane un incident amusant. Un gros monsieur a mis plusieurs paquets de cigarettes dans son pardessus. Puis quand il est arrivé devant le comptoir du douanier il a dit : « Rien à déclarer. » Le douanier a fouillé ses bagages, puis il a dit : « Et votre pardessus ? » Le gros monsieur lui a répondu : « Rien. » Mais, quand le douanier a trouvé les cigarettes dans le pardessus, le gros monsieur a dit : « Pas possible ! Je ne fume pas ! »

19 Aujourd'hui beaucoup d'élèves vont en France avec leurs professeurs. On rencontre souvent à Paris des élèves qui visitent les monuments ou qui font le tour des grands magasins. Ils voyagent par le Métro, ils achètent beaucoup de cartes postales, ils vont dans les cafés prendre du thé, du café ou de la limonade. S'il fait beau ils font une promenade en bateau sur la Seine. Ils passent généralement une journée à Versailles où ils arrivent par le train. Paris est une très belle ville. J'espère que vous pourrez y aller un jour.

20 En Angleterre le cinq novembre est une date importante. Ce jour-là nous tirons toujours des feux d'artifice. En France le quatorze juillet est une date importante, parce que c'est le jour où la Bastille a été prise par les révolutionnaires en 1789. Le matin on décore de drapeaux les rues principales et les enfants font des processions. Le soir on danse dans les rues, on chante et on tire des feux d'artifice. Tout est gaieté !

N.B. Questions on these passages will be found on page 196.

SUMMARY OF GRAMMAR

I

PLURAL OF NOUNS AND ADJECTIVES

1 General rule : add *-s* to the singular :

un chat noir	des chats noirs
le petit garçon	les petits garçons

2 Words ending in *-s*, *-x*, *-z* make no change for the plural :

le colis	les colis
le prix	les prix
le nez	les nez
le faux col	les faux cols

3 Words ending in *-au*, *-eu* ; *-x* is added to the singular :

le beau gâteau	les beaux gâteaux
le nouveau drapeau	les nouveaux drapeaux
le cheveu	les cheveux

Note the exception : bleu

l'oiseau bleu	les oiseaux bleus

4 Words ending in *-al* ; these words usually form the plural in *-aux* :

un cheval	des chevaux
le journal principal	les journaux principaux

5 Surnames take no sign of the plural :

les Martin	les Dupont

6 Note these plurals :

le travail	les travaux
le chou	les choux

un œil	les yeux
le coffre-fort	les coffres-forts
le timbre-poste	les timbres-poste

(Further rules on the formation of plurals will be given in Book III.)

II ADJECTIVES

FEMININE OF ADJECTIVES

1 General rule : add *-e* to the masculine :

un arbre vert	une feuille verte

2 Adjectives ending in *-e* have the same form for the feminine :

un toit rouge	une porte rouge

3 Adjectives ending in *-x* form a feminine in *-se* :

un homme heureux	une femme heureuse

4 Adjectives ending in *-er* form a feminine in *-ère* :

mon cher Paul	ma chère Pauline

5 Adjectives ending in *-en* form a feminine in *-enne* :

un fermier canadien	une fermière canadienne

6 Note the following irregular feminines :

bon, bonne	blanc, blanche
sec, sèche (*dry*)	public, publique
gros, grosse	favori, favorite
faux, fausse (*false*)	gentil, gentille

7 Note also these adjectives which have two forms in the masculine singular :

masc. sing.	*masc. sing. before vowel sound*	*fem. sing.*
beau	bel	belle
nouveau	nouvel	nouvelle
vieux	vieil	vieille

un beau jour, un bel arbre, une belle fleur
un nouveau chapeau, un nouvel habit (coat), une nouvelle école
un vieux château, un vieil ami, une vieille église

(Further rules on the formation of feminines will be given in Book III.)

COMPARISON OF ADJECTIVES

For comparison of adjectives see Lesson 17, p. 133.

III

POSSESSIVE ADJECTIVES, ETC.

1 *Possessive adjectives :*

	masc. sing.	*fem. sing.*	*masc. and fem. plur.*
1st sing.	mon	ma	mes
2nd sing.	ton	ta	tes
3rd sing.	son	sa	ses
1st plur.	notre	notre	nos
2nd plur.	votre	votre	vos
3rd plur.	leur	leur	leurs

Note that *mon, ton, son* are used before feminine nouns beginning with a vowel :

mon école ton invitation son aventure

2 *Demonstrative adjectives :*

	masc.	*fem.*
sing.	ce	cette
plur.	ces	ces

Note that *cet* is used in the masc. sing. before a vowel sound :

cet arbre cet homme

When it is necessary to distinguish between ' this ' and ' that ' or between ' these ' and ' those,' *-ci* and *-là* are added :

Ce livre-ci est rouge, ce livre-là est vert.
(This book is red, that book is green.)

J'aime ces fleurs-ci mieux que ces fleurs-là.
(I like these flowers better than those flowers.)

3 *Interrogative adjective :* QUEL

quel jour ? which day ? *quelle heure ?* what time ?
quels livres ? which books ? *quelles maisons ?* which houses ?

Note : *quelle surprise !* what *a* surprise !

4 TOUT all

Note the forms of this adjective :

tout le jardin	toute la ville
tous les jardins	toutes les villes

When the word *tous* is used as a pronoun the final ' s ' is sounded.

IV

PRONOUNS

The table below gives the forms of the personal pronoun :

PERSON	UNSTRESSED				STRESSED
	Subject of Verb	Direct Object of Verb	Indirect Object of Verb	Object of Reflexive Verb (Direct and Indirect)	Subject and Object
1st sing.	je	me	me	me	moi
2nd sing.	tu	te	te	te	toi
3rd sing.	il, elle	le, la	lui	se	lui, elle
1st plur.	nous	nous	nous	nous	nous
2nd plur.	vous	vous	vous	vous	vous
3rd plur.	ils, elles	les	leur	se	eux, elles

(1) Position of pronoun objects.

Except with the imperative used affirmatively (see 3 below) pronoun objects always precede the verb that governs them. This verb may be an infinitive. With verbs in the perfect tense, the pronoun objects precede the auxiliary :

je le vois	I see him (it)
les voit-il ?	does he see them ?
je dois le faire	I must do it
vous lui parlez	you speak to him (her)
je ne leur parle pas	I do not speak to them

l'avez-vous vu(e) ?	have you seen him (it, her) ?
ne l'avez-vous pas vu(e) ?	have you not seen him (it, her) ?

Note that the past participle agrees with a preceding direct object.

(2) Order of pronoun objects.

In all cases, except the affirmative imperative (see 3 below), the order of the pronoun objects is decided by this rule : The first and second persons (*me*, *te*, *nous*, *vous*) are always put before the third persons (*le*, *la*, *les*, *lui*, *leur*) ; if there are two objects in the third person then the direct object goes before the indirect (*le*, *la*, *les* before *lui*, *leur*).

elle me le donne	she gives it to me
tu nous les donnes	you give them to us
je le lui donne	I give it to him (her)
vous les leur donnez	you give them to them
nous le lui avons donné	we have given it to him (her)
les lui avez-vous donnés ?	have you given them to him (to her) ?
ne me l'avez-vous pas donné ?	have you not given it to me ?

(3) Pronoun objects with verbs in the imperative :

donnez-moi	give me
donnez-les-moi	give me them
donnez-les-leur	give them (to) them
prête-le-lui	lend it to him (her)
parlons-leur	let's speak to them

Note : (1) Here the direct objects precede the indirect.
(2) In the negative the above five sentences would be :

ne me donnez pas
ne me les donnez pas
ne les leur donnez pas
ne le lui prête pas
ne leur parlons pas

(4) Stressed pronouns. See page 134.

V

THE RELATIVE PRONOUN

QUI (*subject* of the verb which follows) :

les livres qui sont sur la table
mon ami qui m'a prêté sa bicyclette
ton père et ta mère qui t'aiment

QUE (*object* of the verb which follows) :

les livres que vous avez lus
ton père et ta mère que tu aimes
la montre qu'elle a perdue.

Note : *que* becomes *qu'* before a vowel, but *qui* NEVER does.

VI

' WHAT '

This is often a troublesome word for English people who are learning French, because it has so many different renderings in French. We should note the following now and be prepared to meet others later :

1 As an adjective : *quel*

quelle heure est-il ?	what time is it ?
quels livres désirez-vous ?	what books do you want ?
quelles jolies fleurs !	what pretty flowers !

2 As an interrogative pronoun.

qu'est-ce qui ? (*subject*) qu'est-ce que ? (*object*)

qu'est-ce qui vous fait rire ?	what's making you laugh ?
qu'est-ce que vous avez trouvé ?	what did you find ?
qu'est-ce qu'il vous a dit ?	what did he say to you ?

The short form (*object*) is *que*, which requires the inversion of the verb :

que cherchez-vous ?	what are you looking for ?
que mangez-vous ?	what are you eating ?
qu'a-t-il dit ?	what did he say ?

3 As an interrogative pronoun (after a preposition) : *quoi*

sur quoi êtes-vous assis ?	what are you sitting on ?
avec quoi l'a-t-il ouvert ?	what did he open it with ?

4 As a relative pronoun (after a verb) with the English meaning of ' that which '.
There are two forms :

ce qui (subject of following verb)
ce que (object of following verb)

dites-moi ce qui vous amuse	tell me what is amusing you
je sais ce que vous avez fait	I know what you have done
il m'a dit ce qu'il a vu	he told me what he saw

VII

THE VERB

Verbs have three ' persons ' and each person has singular and plural forms.

	Singular	*Plural*
First person [person(s) speaking]	*je donne* (I give)	*nous donnons* (we give)
Second person [person(s) spoken to]	*tu donnes* (you give)	*vous donnez* (you give)
Third person [person(s) spoken about]	*il (elle) donne* (he [she] gives)	*ils (elles) donnent* (they give)

With each person the verb can be used in four ways :

(1) *Affirmative :*

il donne (he gives)
il a donné (he gave)

(2) *Negative :*

il ne donne pas (he does not give)
il n'a pas donné (he did not give)

(3) *Interrogative :*

donne-t-il ? (does he give ?)
a-t-il donné ? (did he give ? has he given ?)

(4) *Negative Interrogative :*

ne donne-t-il pas ? (does he not give ?)
n'a-t-il pas donné ? (has he not given ?)

Note :

(1) In the first person singular of the present tense the form *est-ce que* is nearly always used to form the interrogative :

est-ce que je donne ? (do I give ?)

(2) When the third person singular ends with a vowel a *-t-* is inserted in the interests of pleasant sound :

donne-t-il ? (does he give ?)
a-t-il donné (has he given ?)

(3) In the tables given below only the affirmative form is given.

1 AVOIR

Present	*Perfect*	*Future*
j'ai	j'ai eu	j'aurai
tu as	tu as eu	tu auras
il a	il a eu	il aura
elle a	elle a eu	elle aura
nous avons	nous avons eu	nous aurons
vous avez	vous avez eu	vous aurez
ils ont	ils ont eu	ils auront
elles ont	elles ont eu	elles auront

II ÊTRE

Present	*Perfect*	*Future*
je suis	j'ai été	je serai
tu es	tu as été	tu seras
il est	il a été	il sera
elle est	elle a été	elle sera
nous sommes	nous avons été	nous serons
vous êtes	vous avez été	vous serez
ils sont	ils ont été	ils seront
elles sont	elles ont été	elles seront

III Regular verb in -ER : PARLER

Present	*Perfect*	*Future*
je parle	j'ai parlé	je parlerai
tu parles	tu as parlé	tu parleras
il parle	il a parlé	il parlera
elle parle	elle a parlé	elle parlera
nous parlons	nous avons parlé	nous parlerons
vous parlez	vous avez parlé	vous parlerez
ils parlent	ils ont parlé	ils parleront
elles parlent	elles ont parlé	elles parleront

IV Regular verb in -IR : FINIR

Present	*Perfect*	*Future*
je finis	j'ai fini	je finirai
tu finis	tu as fini	tu finiras
il finit	il a fini	il finira
elle finit	elle a fini	elle finira
nous finissons	nous avons fini	nous finirons
vous finissez	vous avez fini	vous finirez
ils finissent	ils ont fini	ils finiront
elles finissent	elles ont fini	elles finiront

v Regular verb in -RE : PERDRE

Present	*Perfect*	*Future*
je perds	j'ai perdu	je perdrai
tu perds	tu as perdu	tu perdras
il perd	il a perdu	il perdra
elle perd	elle a perdu	elle perdra
nous perdons	nous avons perdu	nous perdrons
vous perdez	vous avez perdu	vous perdrez
ils perdent	ils ont perdu	ils perdront
elles perdent	elles ont perdu	elles perdront

vi Verb used reflexively : SE BAIGNER

Present	*Perfect*
je me baigne	je me suis baigné(e)
tu te baignes	tu t'es baigné(e)
il se baigne	il s'est baigné
elle se baigne	elle s'est baignée
nous nous baignons	nous nous sommes baigné(e)s
vous vous baignez	vous vous êtes baigné(e)(s)
ils se baignent	ils se sont baignés
elles se baignent	elles se sont baignées

Future

je me baignerai
tu te baigneras
il se baignera
elle se baignera

nous nous baignerons
vous vous baignerez
ils se baigneront
elles se baigneront

VII Verbs ending in -CER and -GER :

	COMMENCER	MANGER
	je commence	je mange
	tu commences	tu manges
	il commence	il mange
	elle commence	elle mange
N.B. →	nous commençons	nous mangeons
	vous commencez	vous mangez
	ils commencent	ils mangent
	elles commencent	elles mangent

The perfect and future tenses are regular.

VIII Verbs ending in -E-ER :

ACHETER

Present	*Future*
j'achète	j'achèterai
tu achètes	tu achèteras
il achète	il achètera
elle achète	elle achètera
nous achetons	nous achèterons
vous achetez	vous achèterez
ils achètent	ils achèteront
elles achètent	elles achèteront

All the verbs in *e-er* in this book follow the model of *acheter*, except *appeler* (*s'appeler*) and *jeter*, which show irregular forms in the present and future.

APPELER

Present	*Future*
j'appelle	j'appellerai
tu appelles	tu appelleras
il appelle	il appellera
elle appelle	elle appellera

nous appelons	nous appellerons
vous appelez	vous appellerez
ils appellent	ils appelleront
elles appellent	elles appelleront

JETER

Present	*Future*
je jette	je jetterai
tu jettes	tu jetteras
il jette	il jettera
elle jette	elle jettera
nous jetons	nous jetterons
vous jetez	vous jetterez
ils jettent	ils jetteront
elles jettent	elles jetteront

IX Verbs ending in -É-ER : ESPÉRER, PROTÉGER, PRÉFÉRER, etc.

Present	*Future*
j'espère	j'espérerai
tu espères	tu espéreras
il espère	il espérera
elle espère	elle espérera
nous espérons	nous espérerons
vous espérez	vous espérerez
ils espèrent	ils espéreront
elles espèrent	elles espéreront

X Verbs ending in -OYER : ABOYER, EMPLOYER (to employ), etc.

Present	*Future*
j'emploie	j'emploierai
tu emploies	tu emploieras
il emploie	il emploiera
elle emploie	elle emploiera

nous employons	nous emploierons
vous employez	vous emploierez
ils emploient	ils emploieront
elles emploient	elles emploieront

Irregular verbs learnt in Books I and II :

ALLER (to go)	ENVOYER (to send)	COURIR (to run)
Present		
je vais	j'envoie	je cours
tu vas	tu envoies	tu cours
il va	il envoie	il court
nous allons	nous envoyons	nous courons
vous allez	vous envoyez	vous courez
ils vont	ils envoient	ils courent
Perfect		
je suis allé(e)	j'ai envoyé	j'ai couru
Future		
j'irai	j'enverrai	je courrai

DORMIR (to sleep)	OUVRIR (to open)	TENIR (to hold)
Present		
je dors	j'ouvre	je tiens
tu dors	tu ouvres	tu tiens
il dort	il ouvre	il tient
nous dormons	nous ouvrons	nous tenons
vous dormez	vous ouvrez	vous tenez
ils dorment	ils ouvrent	ils tiennent
Perfect		
j'ai dormi	j'ai ouvert	j'ai tenu
Future		
je dormirai	j'ouvrirai	je tiendrai

(Like *dormir* are : partir, sortir, sentir, servir)
(Like *ouvrir* are : offrir, couvrir, souffrir)

VENIR (to come)	S'ASSEOIR (to sit down)	DEVOIR (to owe)
Present		
je viens	je m'assieds	je dois
tu viens	tu t'assieds	tu dois
il vient	il s'assied	il doit
nous venons	nous nous asseyons	nous devons
vous venez	vous vous asseyez	vous devez
ils viennent	ils s'asseyent	ils doivent
Perfect		
je suis venu(e)	je me suis assis(e)	j'ai dû
Future		
je viendrai	je m'asseyerai	je devrai

PLEUVOIR (to rain)

Present	*Perfect*	*Future*
il pleut	il a plu	il pleuvra

POUVOIR (to be able)	RECEVOIR (to receive)	SAVOIR (to know)
Present		
je peux (je puis)	je reçois	je sais
tu peux	tu reçois	tu sais
il peut	il reçoit	il sait
nous pouvons	nous recevons	nous savons
vous pouvez	vous recevez	vous savez
ils peuvent	ils reçoivent	ils savent
Perfect		
j'ai pu	j'ai reçu	j'ai su
Future		
je pourrai	je recevrai	je saurai

	VOIR (to see)	VOULOIR (to wish)	BATTRE (to beat)
Present	je vois	je veux	je bats
	tu vois	tu veux	tu bats
	il voit	il veut	il bat
	nous voyons	nous voulons	nous battons
	vous voyez	vous voulez	vous battez
	ils voient	ils veulent	ils battent
Perfect	j'ai vu	j'ai voulu	j'ai battu
Future	je verrai	je voudrai	je battrai

	BOIRE (to drink)	DIRE (to say)	ÉCRIRE (to write)
Present	je bois	je dis	j'écris
	tu bois	tu dis	tu écris
	il boit	il dit	il écrit
	nous buvons	nous disons	nous écrivons
	vous buvez	vous dites	vous écrivez
	ils boivent	ils disent	ils écrivent
Perfect	j'ai bu	j'ai dit	j'ai écrit
Future	je boirai	je dirai	j'écrirai

	FAIRE (to do)	LIRE (to read)	METTRE (to put)
Present	je fais	je lis	je mets
	tu fais	tu lis	tu mets
	il fait	il lit	il met
	nous faisons	nous lisons	nous mettons
	vous faites	vous lisez	vous mettez
	ils font	ils lisent	ils mettent

Perfect		
j'ai fait	j'ai lu	j'ai mis
Future		
je ferai	je lirai	je mettrai

PRENDRE (to take)	RIRE (to laugh)	SUIVRE (to follow)
Present		
je prends	je ris	je suis
tu prends	tu ris	tu suis
il prend	il rit	il suit
nous prenons	nous rions	nous suivons
vous prenez	vous riez	vous suivez
ils prennent	ils rient	ils suivent
Perfect		
j'ai pris	j'ai ri	j'ai suivi
Future		
je prendrai	je rirai	je suivrai

DAYS AND MONTHS

		January	*janvier*
Monday	*lundi*	February	*février*
Tuesday	*mardi*	March	*mars*
Wednesday	*mercredi*	April	*avril*
Thursday	*jeudi*	May	*mai*
Friday	*vendredi*	June	*juin*
Saturday	*samedi*	July	*juillet*
Sunday	*dimanche*	August	*août*
		September	*septembre*
		October	*octobre*
		November	*novembre*
		December	*décembre*

(All the above are masculine)

NUMBERS

1 un, une
2 deux
3 trois
4 quatre
5 cinq
6 six
7 sept
8 huit
9 neuf
10 dix
11 onze
12 douze
13 treize
14 quatorze
15 quinze
16 seize
17 dix-sept
18 dix-huit
19 dix-neuf
20 vingt
21 vingt et un
22 vingt-deux
23 vingt-trois
24 vingt-quatre
25 vingt-cinq
26 vingt-six
27 vingt-sept
28 vingt-huit
29 vingt-neuf
30 trente
31 trente et un
32 trente-deux
33 trente-trois
34 trente-quatre
35 trente-cinq
36 trente-six
37 trente-sept
38 trente-huit
39 trente-neuf
40 quarante
41 quarante et un
42 quarante-deux
43 quarante-trois
. . . . . .
49 quarante-neuf
50 cinquante
51 cinquante et un
52 cinquante-deux
53 cinquante-trois
. . . . . .
59 cinquante-neuf
60 soixante
61 soixante et un
62 soixante-deux
63 soixante-trois
. . . . . .
69 soixante-neuf
70 soixante-dix
71 soixante et onze
72 soixante-douze
73 soixante-treize
74 soixante-quatorze
75 soixante-quinze
76 soixante-seize
77 soixante-dix-sept
78 soixante-dix-huit
79 soixante-dix-neuf
80 quatre-vingts
81 quatre-vingt-un
82 quatre-vingt-deux
83 quatre-vingt-trois
84 quatre-vingt-quatre
85 quatre-vingt-cinq
86 quatre-vingt-six
87 quatre-vingt-sept
88 quatre-vingt-huit
89 quatre-vingt-neuf
90 quatre-vingt-dix
91 quatre-vingt-onze
92 quatre-vingt-douze
93 quatre-vingt-treize
94 quatre-vingt-quatorze
95 quatre-vingt-quinze
96 quatre-vingt-seize
97 quatre-vingt-dix-sept
98 quatre-vingt-dix-huit
99 quatre-vingt-dix-neuf
100 cent
101 cent un
500 cinq cents
606 six cent six
1000 mille

QUESTIONS ON PASSAGES FOR AURAL COMPREHENSION

1 (*a*) Quand Marcel retourne-t-il à l'école ?
(*b*) Pourquoi est-il heureux ?
(*c*) Est-ce que sa mère est contente ?
(*d*) Quel professeur aime-t-il ?
(*e*) Est-ce que Marcel aime les mathématiques ?

2 (*a*) Où demeure ma tante ?
(*b*) Où vais-je quand je veux envoyer une lettre ?
(*c*) C'est combien pour envoyer une carte postale en Angleterre ?
(*d*) Quel timbre est-ce que j'achète pour envoyer une lettre ?
(*e*) Est-ce que j'aime ma tante ?

3 (*a*) Où est-ce que je demeure ?
(*b*) Qu'y a-t-il dans ma chambre ?
(*c*) Qu'est-ce que je fais pour ouvrir la porte ?
(*d*) Qu'y a-t-il derrière le mur ?
(*e*) Où sont les vieux souliers ?

4 (*a*) Pourquoi Henri n'entend-il pas sa mère ?
(*b*) Qu'est-ce que sa mère désire faire ?
(*c*) Où est son père ?
(*d*) Que fait-il ?
(*e*) Où est son faux col ?

5 (*a*) Qui n'aime pas l'école ?
(*b*) Que fait-il un matin ?
(*c*) Que fait sa mère ?
(*d*) Quand le médecin arrive, que fait Jean ?
(*e*) Qui ferme un œil ?
(*f*) De quelle couleur est le liquide ?

6 (*a*) Que font les deux enfants ?
(*b*) Qui met du papier rouge autour du seau ?
(*c*) Et que fait Marie ?
(*d*) Où sont les clochettes ?
(*e*) Qui grimpe sur l'arbre et que fait-il ?

7 (*a*) Qui fait des tours de prestidigitation ?
(*b*) D'où le professeur tire-t-il des rubans ?
(*c*) Que donne-t-il à un des élèves ?
(*d*) Qu'est-ce que le directeur mange ?
(*e*) Pourquoi les élèves applaudissent-ils ?
(*f*) Qu'est-ce que les élèves aiment ?

8 (*a*) Qu'est-ce que nous avons organisé, ma sœur et moi ?
(*b*) Qui a préparé les sandwichs ?
(*c*) Où les avons-nous mis ?
(*d*) Qui a porté le panier ?
(*e*) Qu'est-ce que j'ai mis aussi dans le panier ?

9 (*a*) Où les enfants sont-ils allés faire leur pique-nique ?
(*b*) Pourquoi les jeunes filles ne se sont-elles pas baignées ?
(*c*) Qui a pris des photographies ?
(*d*) Qu'est-ce qu'il a oublié ?
(*e*) Où la boîte de poires est-elle tombée ?

10 (*a*) Qui a chanté tout l'été ?
(*b*) Pourquoi n'a-t-elle pas travaillé ?
(*c*) Quand a-t-elle eu faim ?
(*d*) Qu'est-ce qu'elle a fait ?
(*e*) Est-ce que son amie lui a prêté du grain ?

11 (*a*) Qu'est-ce que les deux enfants ont fait un jour ?
(*b*) Qui a fait les lits ?
(*c*) Qui a rangé les chambres ?
(*d*) Quels légumes ont-ils préparés ?
(*e*) Qu'est-ce que Charles a essayé de faire ?

12 (*a*) Qu'est-ce que nous avons dans notre jardin ?
(*b*) Où y a-t-il un nid ?
(*c*) Qui a regardé les œufs ?
(*d*) D'où notre chien Médor est-il sorti ?
(*e*) Quand le petit garçon est descendu de l'arbre qu'est-ce que Médor a fait ?
(*f*) Qu'est-ce que Médor aime ?

13 (*a*) Comment est-ce que je m'appelle ?
(*b*) Pourquoi ne suis-je pas allé à l'école cet après-midi ?
(*c*) Pourquoi est-ce que je n'aime pas les distributions de prix ?
(*d*) Où y avait-il des lions ?
(*e*) Pourquoi le directeur n'a-t-il pas été content ?

14 (*a*) Qui m'a invité à passer les vacances chez elle ?
(*b*) Qu'est-ce que je visiterai à Rouen ?
(*c*) Qu'est-ce que je ferai s'il fait beau ?
(*d*) Qu'y a-t-il près de la maison de Pauline ?
(*e*) Où nous baignerons-nous ?

15 (*a*) A quelle heure est-ce que je me lèverai demain ?
(*b*) Où est-ce que je descendrai ?
(*c*) Qu'est-ce que je mettrai sur la table ?
(*d*) Que feront maman et papa quand ils descendront ?
(*e*) Que donnerai-je à Minet ?

16 (*a*) Qui a aidé la police ?
(*b*) D'où les trois hommes sont-ils sortis ?
(*c*) Qu'est-ce qu'un des hommes a mis dans l'automobile ?
(*d*) Où Aristide a-t-il sauté ?
(*e*) Combien d'agents sont venus ?

17 (*a*) Où le lion a-t-il été pris ?
(*b*) Qu'est-ce qu'il a commencé à faire ?
(*c*) Qui l'a entendu ?
(*d*) Quand le rat a trouvé le lion qu'est-ce qu'il a fait ?
(*e*) Quand le lion est sorti du filet qu'est-ce que les deux amis ont fait ?

18 (*a*) Qui fouille généralement les bagages ?
(*b*) Qu'est-ce que le gros monsieur a mis dans son pardessus ?
(*c*) Qu'est-ce que le gros monsieur a dit au douanier quand il est arrivé devant son comptoir ?
(*d*) Qu'est-ce que le gros monsieur a dit quand le douanier a trouvé les cigarettes ?

19 (*a*) Avec qui les élèves vont-ils en France ?
(*b*) Où rencontre-t-on souvent des élèves ?
(*c*) Qu'est-ce qu'ils achètent ?
(*d*) Qu'est-ce qu'ils boivent dans les cafés ?
(*e*) Où passent-ils généralement une journée ?

20 (*a*) Quel jour tirons-nous des feux d'artifice en Angleterre ?
(*b*) Pourquoi le quatorze juillet est-il une date importante ?
(*c*) De quoi décore-t-on les rues ?
(*d*) Que font les enfants le matin ?
(*e*) Que fait-on le soir ?

SOLUTION DU JEU DE MOTS CROISÉS

(*page* 102)

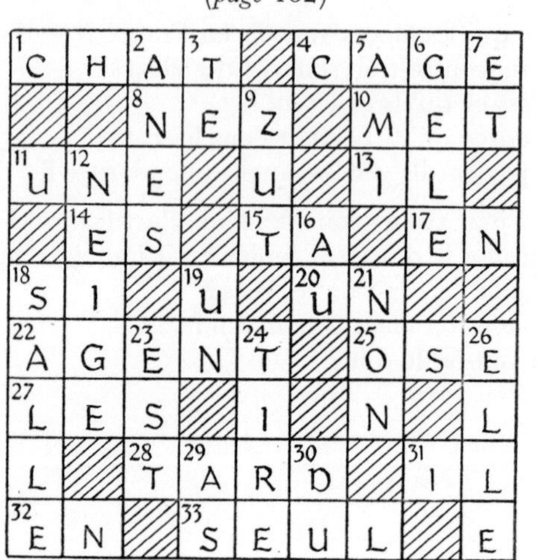

FRENCH-ENGLISH

AND

ENGLISH-FRENCH

VOCABULARIES

FRENCH-ENGLISH VOCABULARY

à (a), to, at, in
abord ; d'abord (dabɔːr), at first
aboyer (abwaje), to bark
accepter (aksɛpte), to accept
un **accident** (aksidɑ̃), accident
accompagner (akɔ̃paɲe), to accompany
acheter (aʃte), to buy
admirer (admire), to admire
affectueux (afɛktɥø), **affectueuse** (afɛktɥøːz), affectionate
affreux (afrø), **affreuse** (afrøːz), awful, terrible
un **âge** (ɑːʒ), age
un **agent de police** (aʒɑ̃ də pɔlis), policeman
agitée (aʒite), rough (*of sea*)
agréable (agreaːbl), pleasant
aider (ɛde), to help
aïe (aːj), oh ! ouch !
aimer (ɛme), to like, love
l'air (ɛːr), *masc.*, air
ajouter (aʒute), to add
aller (ale), to go
allumer (alyme), to light
une **allumette** (alymɛt), match
alors (alɔːr), then
américain (amerikɛ̃), American
un **ami,** une **amie** (ami), friend
une **amitié** (amitje), friendship
amusant (amyzɑ̃), amusing
amuser (amyze), to amuse
s'amuser (samyze), to be amused, have a good time
un **an** (ɑ̃), year
un **âne** (ɑːn), donkey
anglais (ɑ̃glɛ), *adj.*, English
l'anglais, *masc.*, English (language)
un **Anglais,** Englishman
l'Angleterre (ɑ̃glətɛːr), *fem.*, England
un **animal** (animal), animal
une **année** (ane), year
août (u), *masc.*, August
un **appareil** (aparɛːj), set, camera
s'appeler (saple), to be called
applaudir (aplodiːr), to applaud
apporter (apɔrte), to bring
apprendre (aprɑ̃ːdr), to learn
s'approcher de (saprɔʃe də), to approach, draw near
après (aprɛ), after
un (une) **après-midi** (aprɛmidi), afternoon
un **arbre** (arbr), tree
l'argent (arʒɑ̃), *masc.*, money, silver
argenté (arʒɑ̃te), silver, silvery
s'arrêter (sarɛte), to stop
l'arrière (arjɛːr), *masc.*, back, rear
arriver (arive), to arrive
s'asseoir (saswaːr), to sit down
assez (ase), enough
une **assiette** (asjɛt), plate
assis (asi), seated, sitting
assurer (asyre), to assure
attacher (ataʃe), to fasten, fix, attach
s'attaquer à (satake a), to attack
en **attendant** (ɑ̃natɑ̃dɑ̃), meanwhile
attendre (atɑ̃ːdr), to wait for

une **attention** (atɑ̃sjɔ̃), attention ; **avec —**, carefully ; **faire —**, to be careful
attraper (atrape), to catch
au revoir (orəvwaːr), good-bye
aussi (osi), also, too
aussitôt (osito), immediately ; **— que possible,** as soon as possible
un **autobus** (otɔbys), bus
l'**automne** (otɔn), *masc.*, Autumn
une **automobile** (otɔmɔbil), car
autour de (otuːrdə), round
autre (oːtr), other
avaler (avale), to swallow
avant (avɑ̃), before (of time)
avec (avɛk), with
une **aventure** (avɑ̃tyːr),adventure
avertir (avɛrtiːr), to warn, inform
avoir (avwaːr), to have ; **— chaud,** to be warm ; **— de la chance,** to be lucky ; **— faim,** to be hungry ; **— froid,** to be cold ; **— lieu,** to take place ; **— peur,** to be frightened, be afraid
avril (avril), *masc.*, April

les **bagages** (bagaːʒ), *masc.*, luggage
se **baigner** (bɛɲe), to bathe
le **baiser** (bɛze), kiss
le **bal** (bal), ball (dance)
la **balle** (bal), ball
la **banane** (banan), banana
le **bateau** (bato), boat
battre (batr), to beat
beau, bel, belle (bo, bɛl, bɛl), fine, handsome
beaucoup (boku), much, a great deal, many
le **besoin** (bəzwɛ̃), need ; **avoir — de,** to need
la **bicyclette** (bisiklɛt), bicycle
bien (bjɛ̃), well, very
bientôt (bjɛ̃to), soon ; **à —**, I'll see you soon
le **billet** (bijɛ), ticket, note
le **biscuit** (biskɥi), biscuit
blanc, blanche (blɑ̃, blɑ̃ʃ), white
bleu (blø), blue ; **— marine,** navy blue
bloquer (blɔke), to block, block up
boire (bwaːr), to drink
le **bois** (bwɑ), wood
la **boîte** (bwat), box, tin
le **bol** (bɔl), bowl
bon, bonne (bɔ̃, bɔn), good, nice ; **il fait —**, it is nice ; **sentir —**, to smell nice ; **— marché,** cheap
le **bonbon** (bɔ̃bɔ̃), sweet
bondir (bɔ̃diːr), to leap, jump
le **bonhomme de neige** (bɔnɔmdənɛːʒ), snowman
bonjour (bɔ̃ʒuːr), good-morning, good-day, good-afternoon
la **bonne** (bɔn), maid
le **bord** (bɔːr), edge, side, bank ; **à —**, on board ; **au — de,** at the side of
la **bouche** (buʃ), mouth
la **bougie** (buʒi), candle
la **boule de neige** (buldənɛːʒ), snowball
le **boulevard** (bulvaːr), boulevard, wide street
le **bouquet** (bukɛ), bouquet, bunch
le **bout** (bu), end, tip ; **au — de cinq minutes,** at the end of (after) five minutes
la **bouteille** (butɛːj), bottle
le **bouton** (butɔ̃), button, switch
le **bras** (bra), arm
la **branche** (brɑ̃ːʃ), branch
brouiller (bruje), to jumble

brûler (bryle), to burn
brun (brœ̃), brown
le **bureau** (byro), office ; **le — de poste,** post-office

la **cabine téléphonique** (kabin telefɔnik), telephone kiosk
caché (kaʃe), hidden
cacher (kaʃe), to hide
la **cachette** (kaʃɛt), hiding-place
le **cadeau** (kado), present, gift
le **café** (kafé), café, coffee ; **le — au lait,** white coffee
la **cage** (kaːʒ), cage
le **cahier** (kaje), exercise-book
la **caisse** (kɛːs), large box
le (la) **camarade** (kamarad), friend, schoolmate
la **campagne** (kɑ̃paɲ), country
le **camping** (kɑ̃piŋ), camping
canadien (kanadjɛ̃), Canadian
le **canif** (kanif), penknife
la **canne à pêche** (kanapɛːʃ), fishing-rod
le **canot** (kano), rowing-boat
la **capitale** (kapital), capital (town)
car (kaːr), for, because
le **carnet** (karnɛ), book (of tickets, cheques, etc.)
la **carotte** (karɔt), carrot
la **carte** (kart), card, map ; **la — postale,** postcard
la **casquette** (kaskɛt), cap
casser (kɑse), to break, smash
la **casserole** (kasrɔl), saucepan
la **cathédrale** (katedral), cathedral
cela (sla), that ; **— ne fait rien,** that doesn't matter
célèbre (selɛːbr), famous
cent (sɑ̃), a hundred
cependant (spɑ̃dɑ̃), however
certainement (sɛrtɛnmɑ̃), certainly
la **chaise** (ʃɛːz), chair
la **chambre** (ʃɑ̃ːbr), room ; **la — à coucher,** bedroom
le **champ** (ʃɑ̃), field
la **chance** (ʃɑ̃ːs), luck ; **bonne —,** good luck ; **avoir de la —,** to be lucky
la **chanson** (ʃɑ̃sɔ̃), song
chanter (ʃɑ̃te), to sing
le **chapeau** (ʃapo), hat
chasser (ʃase), to hunt, chase
le **chat** (ʃa), cat
le **château** (ʃɑto), castle
chaud (ʃo), warm, hot ; **avoir —,** (of people) to be warm, hot ; **faire —,** (of weather) to be hot
le **chauffeur** (ʃofœːr), chauffeur, driver
le **chef** (ʃɛf), chef, chief
la **chemise** (ʃəmiːz), shirt
cher, chère (ʃɛːr), dear
chercher (ʃɛrʃe), to look for ; **aller —,** to go for
le **cheval** (ʃəval), horse
les **cheveux** (ʃəvø), *masc.,* hair
chez (ʃe), at the home of ; **— l'épicier,** at the grocer's
le **chien** (ʃjɛ̃), dog
le **chocolat** (ʃɔkɔla), chocolate
choisir (ʃwaziːr), to choose
le **ciel** (sjɛl), sky
la **cigale** (sigal), cicada (a kind of grasshopper that makes a chirping noise)
la **cigarette** (sigarɛt), cigarette
le **cinéma** (sinema), cinema
cinq (sɛ̃ːk, sɛ̃), five
cinquante (sɛ̃kɑ̃ːt), fifty
la **classe** (klɑːs), class
la **clef** (kle), key
la **clochette** (klɔʃɛt), small bell
le **cœur** (kœːr), heart ; **par —,** by heart
le **coffre-fort** (kɔfrəfɔːr), safe, strong-box
le **col** (kɔl), collar

le **colis postal** (kɔlipɔstal), postal package
la **collection** (kɔlɛksjɔ̃), collection
se **coller** (səkɔle), to stick
la **colline** (kɔlin), hill
combien (kɔ̃bjɛ̃), how much, how many
le **comble** (kɔ̃ːbl), finishing touch
comme (kɔm), as, like
le **commencement** (kɔmɑ̃ːsmɑ̃), beginning
commencer (kɔmɑ̃se), to begin
comment (kɔmɑ̃), how, what ! ; **— est-il ?** what is he like ?
comprendre (kɔ̃prɑ̃ːdr), to understand
le **comptoir** (kɔ̃twaːr), counter
le **concert** (kɔ̃sɛːr), concert
la **confiserie** (kɔ̃fizri), confectioner's
la **confiture** (kɔ̃fityːr), jam
le **congé** (kɔ̃ʒe), holiday, day off
conjuguer (kɔ̃zyge), to conjugate
la **connaissance** (kɔnɛsɑ̃ːs), acquaintance
content (kɔ̃tɑ̃), pleased, glad
continuer (kɔ̃tinɥe), to continue
contre (kɔ̃ːtr), against
convenable (kɔ̃vnaːbl), suitable, appropriate
la **conversation** (kɔ̃vɛrsasjɔ̃), conversation
la **coque** (kɔk), shell ; **un œuf à la —**, boiled egg
le **corbeau** (kɔrbo), crow
le **correspondant, la correspondante** (kɔrɛspɔ̃dɑ̃, -t), correspondent
se **coucher** (səkuʃe), to lie down, go to bed
la **couleur** (kulœːr), colour
couper (kupe), to cut
la **cour** (kuːr), yard, playground
courageux, courageuse (kuraʒø, kuraʒøːz), brave
courir (kuriːr), to run
la **couronne** (kurɔn), wreath, crown
court (kuːr), short
le **cousin, la cousine** (kuzɛ̃, kuzin), cousin
le **couteau** (kuto), knife
la **couture** (kutyːr), sewing
couvert de (kuvɛːr də), covered with
la **couverture** (kuvɛrtyːr), blanket
couvrir (kuvriːr), to cover
la **craie** (krɛ), chalk
la **cravate** (kravat), tie
la **créature** (kreatyːr), creature
crémeux, crémeuse (kremø, kremøːz), creamy
la **crêpe** (krɛːp), pancake
le **cri** (kri), cry, shout
crier (krie), to cry, shout
la **cuiller** (kɥijɛːr), spoon
la **cuillerée** (kɥijre), spoonful
la **cuisine** (kɥizin), kitchen
la **cuisinière à gaz** (kɥizinjɛːr a gɑːz), gas-cooker
le **cycliste** (siklist), cyclist

la **dame** (dam), lady
le **damier** (damje), draughtboard
le **danger** (dɑ̃ʒe), danger
dangereux, dangereuse (dɑ̃ʒrø, dɑ̃ʒrøːz), dangerous
dans (dɑ̃), in
la **danse** (dɑ̃ːs), dance
danser (dɑ̃se), to dance
la **date** (dat), date
de (də), of, from, with
debout (dəbu), standing, upright
décembre (desɑ̃ːbr), *masc.*, December

déchirer (deʃire), to tear
déclarer (deklare), to declare
décorer (dekɔre), to decorate
déjà (deʒa), already
le **déjeuner** (deʒœne), lunch, midday meal; **le petit** —, breakfast
délicieux (delisjø), delicious, delightful
demain (dəmɛ̃), tomorrow
demander (dəmɑ̃de), to ask, ask for
demeurer (dəmœre), to live
demi (dəmi), half
la **dépêche** (depɛːʃ), telegram
se **dépêcher** (sə depɛʃe), to hurry
dernier (dɛrnje), last
dérobé (derɔbe), hidden
derrière (dɛrjɛːr), behind; **par** —, from behind
désagréable (dezagreabl), unpleasant
descendre (desɑ̃ːdr), to go down
la **description** (dɛskripsjɔ̃), description
désirer (dezire), to want, wish
le **dessin** (desɛ̃), drawing
le **détail** (detaːj), detail
deux (dø), two
devant (dəvɑ̃), before, in front of
devoir (dəvwaːr), to have to, owe, must (see pages 77-78, 192)
le **devoir** (dəvwaːr), duty, exercise; **les devoirs,** homework
dévoué (devwe), devoted, sincere
le **Dieu** (djø), God; **mon** —! good gracious!
différent (diferɑ̃), different
la **difficulté** (difikylte), difficulty
dimanche (dimɑ̃ːʃ), *masc.*, Sunday
le **dîner** (dine), dinner, evening meal
dire (diːr), to say, tell
le **directeur** (dirɛktœːr), headmaster, manager
la **distance** (distɑ̃ːs), distance
la **distribution** (distribysjɔ̃), distribution, presentation
dix (di, dis, diz), ten
dix-huit (dizɥi(t)), eighteen
dix-neuf (diznœf), nineteen
dix-sept (disɛt), seventeen
le **dommage** (dɔmaːʒ), pity; **quel** —! what a pity!
donc (dɔ̃, dɔ̃ːk), then, so
donner (dɔne), to give; — **sur,** to look out over
dormir (dɔrmiːr), to sleep
le **dortoir** (dɔrtwaːr), dormitory
le **dos** (do), back
la **douane** (dwan), customs
le **douanier** (dwanje), customs officer
douze (duːz), twelve
le **drap** (dra), sheet (for bed)
le **drapeau** (drapo), flag
droit (drwɑ), straight, right; **à droite,** to the right

l'**eau** (o), *fem.*, water
un **éclaireur** (eklɛrœːr), scout
une **école** (ekɔl), school
écouter (ekute), to listen, listen to
écrire (ekriːr), to write
un **édredon** (edrədɔ̃), eiderdown
eh bien! (ebjɛ̃), well!
un **éléphant** (elefɑ̃), elephant
un, une **élève** (elɛːv), pupil
un **employé** (ɑ̃plwaje), clerk, employee
emprunter (ɑ̃prœ̃te), to borrow
en (ɑ̃), in, some; of it, of them, from it, from them
encore (ɑ̃kɔːr), again, still, yet; — **une fois,** once again
encourager (ɑ̃kuraʒe), to encourage

endormi (ɑ̃dɔrmi), asleep
s'**endormir** (sɑ̃dɔrmiːr), to fall asleep
un **enfant** (ɑ̃fɑ̃), child
enfin (ɑ̃fɛ̃), at last
un **ennemi** (ɛnmi), enemy
énorme (enɔrm), enormous
ensuite (ɑ̃sɥit), then, next
entendre (ɑ̃tɑ̃ːdr), to hear
une **entrée** (ɑ̃tre), entrance
entrer (ɑ̃tre), to enter
s'**envoler** (sɑ̃vɔle), to fly away
envoyer (ɑ̃vwaje), to send
épatant (epatɑ̃), marvellous, wonderful, lovely
un **épicier** (episje), grocer
une **erreur** (ɛrœːr), error, mistake; **par** —, by mistake
un **escalier** (eskalje), staircase
espérer (ɛspere), to hope
essuyer (ɛsɥije), to wipe
et (e), and
une **étable** (etabl), cowshed
l'**été** (ete), *masc.*, summer
éternuer (etɛrnɥe), to sneeze
une **étoile** (etwal), star
être (ɛːtr), to be
eux (ø), they, them
examiner (egzamine), to examine
excellent (ɛksɛlɑ̃), excellent
un **exploit** (ɛksplwa), exploit

fâché (fɑʃe), angry
se **fâcher** (səfɑʃe), to become angry
facile (fasil), easy
facilement (fasilmɑ̃), easily
la **faim** (fɛ̃), hunger; **avoir** —, to be hungry
faire (fɛːr), to do, make; — **le malade,** to pretend to be ill; — **attention,** to be careful; — **semblant de,** to pretend; — **une promenade,** to go for a walk, ride, etc.

la **famille** (famiːj), family
la **farandole** (farɑ̃dɔl), farandole (a dance)
la **farine** (farin), flour
fatigué (fatige), tired
le **fauteuil** (fotœːj), armchair, seat in theatre
le **faux col** (fokɔl), collar
féliciter (felisite), to congratulate
la **femme** (fam), woman, wife
la **fenêtre** (fənɛːtr), window
fermer (fɛrme), to shut; — **à clef,** to lock
le **fermier** (fɛrmje), farmer
la **fête** (fɛːt), birthday celebration, holiday
le **feu** (fø), fire; — **d'artifice,** fireworks, firework display
la **feuille** (fœːj), leaf
février (fevrie), *masc.*, February
fier, fière (fjɛːr), proud
le **filet** (filɛ), net
la **fille** (fiːj), girl, daughter
la **fillette** (fijɛt), small girl
le **fils** (fis), son
la **fin** (fɛ̃), end, finish; **à la** —, in the end
finir (finiːr), to finish
flairer (flɛre), to sniff at
la **fleur** (flœːr), flower
la **fois** (fwa), time, occasion; **à la** —, at the same time
le **football** (futbɔl), football
la **forêt** (fɔrɛ), forest
formidable (fɔrmidabl), terrific, marvellous
fouiller (fuje), to search, examine
la **fourchette** (furʃɛt), fork
le **fourgon** (furgɔ̃), luggage van
la **fourmi** (furmi), ant
la **fraise** (frɛːz), strawberry
le **franc** (frɑ̃), franc
français (frɑ̃sɛ), *adj.*, French
le **français**, French (language)

le **Français** (frɑ̃sɛ), Frenchman
la **France** (frɑ̃ːs), France
frapper (frape), to hit, strike, knock
le **frère** (frɛːr), brother
froid (frwa), cold ; **il fait —**, it is cold ; **j'ai —**, I am cold
le **fromage** (frɔmaːʒ), cheese
le **fruit** (frɥi), fruit
fumer (fyme), to smoke

gagner (gaɲe), to win, gain
la **gaieté** (gete), gaiety, merriment
le **garage** (garaːʒ), garage
le **garçon** (garsɔ̃), boy, waiter
la **gare** (gaːr), station
le **gâteau** (gɑto), cake
gauche (goːʃ), left ; **à —**, on the left, to the left
le **gémissement** (ʒemismɑ̃), groan
généralement (ʒeneralmɑ̃), generally
les **gens** (ʒɑ̃) (*usually masc.*), people
gentil, gentille (ʒɑ̃ti, ʒɑ̃tiːj), kind, nice (*colloquial*)
la **géographie** (ʒeɔgrafi), geography
la **glace** (glas), ice
glisser (glise), to slip, slide
se **glisser** (səglise), to slip, go furtively
le **grain** (grɛ̃), corn
grand (grɑ̃), big, tall
la **grand'mère** (grɑ̃mɛːr), grandmother
la **grenadine** (grənadin), grenadine (fruit cordial)
grillé (grije), toasted ; **du pain —**, toast
grimper (grɛ̃pe), to climb
gris (gri), grey
gros, grosse (gro, gros), big, fat
la **guerre** (gɛːr), war

haut (o), high ; **— les mains !** hands up !
hélas (elɑːs), alas
l'**herbe** (erb), *fem.*, grass
hésiter (ezite), to hesitate
une **heure** (œːr), hour, time ; **de bonne —**, early
heureusement (œrøːzmɑ̃), happily, fortunately
heureux, heureuse (œrø, œrøːz), happy, lucky, fortunate
hier (iɛːr), yesterday
l'**histoire** (istwaːr), *fem.*, history, story
l'**hiver** (ivɛːr), *masc.*, winter
le **hockey** (ɔkɛ), hockey
un **homme** (ɔm), man
une **horreur** (ɔrœːr), horror
huit (ɥi, ɥit), eight

ici (isi), here
une **idée** (ide), idea
il y a (ilja), there is, there are ; **il y avait,** there was, there were
illuminer (ilymine), to illumine, light up
imaginaire (imaʒinɛːr), imaginary
une **impatience** (ɛ̃pasjɑ̃ːs), impatience
impatient (ɛ̃pasjɑ̃), impatient
important (ɛ̃pɔrtɑ̃), important
un **incident** (ɛ̃sidɑ̃), incident
une **indigestion** (ɛ̃diʒɛstjɔ̃), indigestion
une **indignation** (ɛ̃diɲasjɔ̃), indignation
indiquer (ɛ̃dike), to point to, indicate
s'**inquiéter** (sɛ̃kjete), to be worried
un **instant** (ɛ̃stɑ̃), instant
une **instruction** (ɛ̃stryksjɔ̃), instruction

intact (ɛ̃takt), intact, whole
intelligent (ɛ̃tɛliʒɑ̃), intelligent
intéressant (ɛ̃terɛsɑ̃), interesting
intéresser (ɛ̃terɛse), to interest
intrigué (ɛ̃trige), puzzled
inventer (ɛ̃vɑ̃te), to invent
une **invitation** (ɛ̃vitasjɔ̃), invitation
inviter (ɛ̃vite), to invite
italique (italik), italics

jamais (ʒɑmɛ), ever
la **jambe** (ʒɑ̃ːb), leg
le **jambon** (ʒɑ̃bɔ̃), ham
janvier (ʒɑ̃vje), *masc.*, January
le **jardin** (ʒardɛ̃), garden
jaune (ʒoːn), yellow
jeter (ʒəte), to throw ; **— à terre,** to throw down
jeudi (ʒødi), *masc.*, Thursday
jeune (ʒœn), young
joli (ʒɔli), pretty
jouer (ʒwe), to play
le **jour** (ʒuːr), day
le **journal** (ʒurnal), newspaper
la **journée** (ʒurne), day
juillet (ʒɥijɛ), *masc.*, July
juin (ʒɥɛ̃), *masc.*, June

le **kilomètre** (kilɔmɛtr), kilometre

là (la), there
le **lac** (lak), lake
laid (lɛ), ugly
laisser (lɛse), to let, allow
le **lait** (lɛ), milk
lancer (lɑ̃se), to throw
le **lapin** (lapɛ̃), rabbit
la **leçon** (ləsɔ̃), lesson
le **légume** (legym), vegetable
le **lendemain** (lɑ̃dmɛ̃), next day
la **lettre** (lɛtr), letter ; **une — recommandée,** registered letter
se **lever** (səlәve), to rise, get up
le **lieu** (ljø), place, spot ; **avoir —,** to take place ; **s'il y a —,** if necessary
la **ligne** (liɲ), line
la **limonade** (limɔnad), lemonade (fizzy)
le **lion** (ljɔ̃), lion
lire (liːr), to read
le **lit** (li), bed
le **livre** (liːvr), book
loger (lɔʒe), to lodge, accommodate
long, longue (lɔ̃, lɔ̃ːg), long
longtemps (lɔ̃tɑ̃), a long time
le **loup** (lu), wolf ; **à pas de —,** stealthily
lourd (luːr), heavy
lui (lɥi), to him, to her, he (*emphatic*) ; **avec —,** with him
lundi (lœ̃di), *masc.*, Monday
les **lunettes** (lynɛt), *fem.*, spectacles

le **magasin** (magazɛ̃), shop, store
magnifique (maɲifik), magnificent
mai (mɛ), *masc.*, May
le **maillot** (majo), bathing-costume
la **main** (mɛ̃), hand
maintenant (mɛ̃tnɑ̃), now
le **maire** (mɛːr), mayor
la **mairie** (mɛːri), town-hall
mais (mɛ), but
la **maison** (mɛzɔ̃), house
le **maître** (mɛːtr), master
malade (malad), ill, sick; **le (la) —,** sick person, patient, invalid
la **malle** (mal), trunk
maman (mamɑ̃), *fem.*, mother, mummy

le **mandat-poste** (mɑ̃dapɔst), postal order, money order
manger (mɑ̃ʒe), to eat
manquer (mɑ̃ke), to miss
le **marché** (marʃe), market ; **bon —**, cheap
marcher (marʃe), to walk, go
mardi (mardi), *masc.*, Tuesday
mars (mars), *masc.*, March
masqué (maske), masked
les **mathématiques** (matematik), (*fem.*) mathematics
le **matin** (matɛ̃), morning
méchant (meʃɑ̃), bad, naughty, wicked
le **médecin** (metsɛ̃), doctor
meilleur (mɛjœːr), better ; **le —**, best
même (mɛːm), even, same
le **ménage** (menaːʒ), housework, household ; **faire le —**, to do the housework
mener (məne), to lead, take
la **mer** (mɛːr), sea
merci (mɛrsi), thank you
mercredi (mɛrkrədi), *masc.*, Wednesday
la **mère** (mɛːr), mother
le **Métro** (metro), (Paris) underground railway
mettre (mɛtr), to put ; **— la table,** to lay the table ; **se — en route** (sə mɛtrɑ̃ rut), to start out
midi (midi), *masc.*, midday, noon
mieux (mjø), *adv.*, better
le **milieu** (miljø), middle ; **au — de,** in the middle of
mille (mil), a thousand
minuit (minɥi), *masc.*, midnight
la **minute** (minyt), minute
le **misérable** (mizerabl), wretch
moi (mwa), me, to me, I (*emphatic*)
moins (mwɛ̃), less, minus
le **mois** (mwɑ), month
le **monsieur** (məsjø), gentleman
monsieur (*in direct speech*), sir
monter (mɔ̃te), to go up
la **montre** (mɔ̃ːtr), watch
montrer (mɔ̃tre), to show
se **montrer** (səmɔ̃tre), to show oneself, appear
le **monument** (mɔnymɑ̃), monument, memorial
le **morceau** (mɔrso), bit, piece, morsel
le **mort** (mɔːr), dead man
le **mot** (mo), word
le **mouchoir** (muʃwaːr), handkerchief
mourir (muriːr), to die
le **mur** (myːr), wall
la **musique** (myzik), music, band

nager (naʒe), to swim
national (nasjɔnal), national
naturellement (natyrɛlmɑ̃), naturally, of course
ne... jamais (nə... ʒamɛ), never ; **ne... pas,** not ; **ne... plus,** no longer, no more ; **ne... rien,** nothing
nécessaire (nesɛsɛːr), necessary
la **neige** (nɛːʒ), snow
neuf (nœf), nine
le **nez** (ne), nose
ni... ni (ni... ni), neither . . . nor
la **niche** (niʃ), kennel
le **nid** (ni), nest
noble (nɔbl), noble
noir (nwaːr), black
non (nɔ̃), no ; **— plus,** neither
normal (nɔrmal), normal
la **nourriture** (nurityːr), food
nouveau, nouvel, nouvelle

(nuvo, nuvɛl, nuvɛl), new; **de nouveau,** again
novembre (nɔvɑ̃ːbr), *masc.*, November
la **nuit** (nɥi), night

un **objet** (ɔbʒɛ), object, thing
occuper (ɔkype), to occupy
octobre (ɔktɔbr), *masc.*, October
un **œil** (œːj), eye
un **œuf** (œf), egg
offrir (ɔfriːr), to offer
un **oignon** (ɔɲɔ̃), onion
on (ɔ̃), one, people
un **oncle** (ɔ̃ːkl), uncle
onze (ɔ̃ːz), eleven
une **orange** (ɔrɑ̃ːʒ), orange
un **orchestre** (ɔrkɛstr), orchestra
une **oreille** (ɔrɛːj), ear
organiser (ɔrganize), to organise, arrange
un **os** (ɔs), *plur.*, **les os** (o), bone
oser (oze), to dare
ôter (ote), to take off
ou (u), or
où (u), where, in which
oui (wi), yes
ouvert (uvɛːr), open
un **ouvre-boîte** (uvrəbwat), tin-opener
ouvrir (uvriːr), to open
s'ouvrir (suvriːr), to open; **la porte s'ouvre,** the door opens

la **page** (paːʒ), page
le **pain** (pɛ̃), bread; **le petit —,** roll
le **panier** (panje), basket
le **pantalon** (pɑ̃talɔ̃), trousers
papa (papa), father, daddy
le **papier** (papje), paper
le **paquebot** (pakbo), liner
le **paquet** (pakɛ), packet, bundle, parcel
par (par), by, through; **— cœur,** by heart; **— jour,** by day, each day
le **parc** (park), park
parce que (parskə), because
le **pardessus** (pardəsy), overcoat
pardon (pardɔ̃), I beg your pardon
pardonner (pardɔne), to pardon, excuse
le **parent** (parɑ̃), parent
parler (parle), to speak
le **parterre** (partɛːr), pit (of theatre)
le **participe** (partisip), participle; **le — passé,** past participle
particulièrement (partikyljɛrmɑ̃), particularly
partir (partiːr), to leave, set out
partout (partu), everywhere
le **pas** (pɑ), pace, step, footstep; **à — de loup,** stealthily
le **passager** (pɑsaʒe), passenger
passé (pɑse), past, last
passer (pɑse), to pass, spend (time)
la **patte** (pat), paw
pauvre (poːvr), poor
payer (pɛje), to pay, pay for
la **pêche** (pɛːʃ), fishing
pêcher (pɛʃe), to fish
le **pêcheur** (pɛʃœːr), fisherman
la **pellicule** (pɛlikyl), film (for camera)
pendant (pɑ̃dɑ̃), during; **— que,** while
la **pendule** (pɑ̃dyl), clock (for mantelpiece)
la **pensée** (pɑ̃se), thought
penser (pɑ̃se), to think
le **pensionnat** (pɑ̃sjɔna), boarding-school
perdre (pɛrdr), to lose
le **père** (pɛːr), father
le **perroquet** (pɛrɔkɛ), parrot

le **personnage** (pɛrsɔnaːʒ), person, character
la **personne** (pɛrsɔn), person
petit (pəti), small
le **peu** (pø), small amount, little ; **un** —, a little, rather
la **peur** (pœːr), fear ; **avoir** —, to be afraid ; **faire — à,** to frighten
peut-être (pøtɛːtr), perhaps
la **photographie** (fɔtɔgrafi), photograph
la **phrase** (frɑːz), sentence
le **piano** (pjano), piano
la **pièce** (pjɛs), coin, room ; **la — d'or,** gold coin
la **pipe** (pip), pipe
le **pique-nique** (piknik), picnic
la **place** (plas), seat, place, square, room ; **il n'y a pas de —,** there's no room
placer (plase), to place
le **plafond** (plafɔ̃), ceiling
plaire (plɛːr), to please ; **s'il vous plaît,** please
le **plaisir** (plɛziːr), pleasure
pleuvoir (plœvwaːr), to rain ; **il pleut,** it is raining
la **plume** (plym), pen, feather
le **pluriel** (plyrjɛl), plural
plus (ply, plys), more ; — **long,** longer ; — **tard,** later
le **plus,** most
plusieurs (plyzjœːr), several
la **poêle** (pwɑːl), frying-pan
la **poire** (pwɑːr), pear
le **pois** (pwɑ), pea ; **le petit —,** green pea
le **poisson** (pwasɔ̃), fish
la **police** (pɔlis), police
la **pomme** (pɔm), apple ; **la — de terre,** potato
le **pont** (pɔ̃), bridge
le **port** (pɔːr), port, harbour
la **porte** (pɔrt), door
porter (pɔrte), to carry, wear
le **porteur** (pɔrtœːr), porter
poser (poze), to place, put
postal (pɔstal), postal, post ; **la carte postale,** post card
le **potage** (pɔtaːʒ), soup
la **poule** (pul), hen
pour (puːr), for, in order to
pourquoi (purkwa), why
pousser (puse), to push, utter
précis (presi), exact
préférer (prefere), to prefer
premier (prəmje), first
prendre (prɑ̃ːdr), to take
préparer (prepare), to prepare
près (de) (prɛ), near
présenter (prezɑ̃te), to present, introduce
se **présenter** (səprezɑ̃te), to present oneself, appear
le **président** (prezidɑ̃), chairman
presque (prɛsk), almost, nearly
le **prestidigitateur** (prɛstidiʒitatœːr), conjurer
la **prestidigitation** (prɛstidiʒitasjɔ̃), conjuring
prêt (prɛ), ready
prêter (prɛte), to lend
prier (prie), to beg, pray, ask
principal (prɛ̃sipal), chief
le **printemps** (prɛ̃tɑ̃), spring
la **prison** (prizɔ̃), prison
le **prix** (pri), prize, price
la **procession** (prɔsɛsjɔ̃), procession
prochain (prɔʃɛ̃), next
le **professeur** (prɔfɛsœːr), teacher
le **projecteur** (prɔʒɛktœːr), searchlight, floodlight
le **projet** (prɔʒɛ), plan
la **promenade** (prɔmnad), walk ; **faire une —,** go for a walk ; **faire une — en bateau,** to go for a row, sail, etc.
se **promener** (səprɔmne), to go for a walk ; **— en auto,** to go for a ride in a car ;

— **en bateau,** to go for a row, sail, etc. ; — **à bicyclette,** to go for a cycle ride
promettre (prɔmɛtr), to promise
le **propriétaire** (prɔprietɛːr), owner
protéger (prɔteʒe), to protect
protester (prɔtɛste), to protest
public, publique (pyblik), public
puis (pɥi), then, next
le **pupitre** (pypitr), desk

le **quai** (ke), quay, platform (of station)
quand (kɑ̃), when
quarante (karɑ̃ːt), forty
le **quart** (kaːr), quarter ; **le — d'heure,** quarter of an hour
quatorze (katɔrz), fourteen
quatre (katr), four
que (kə), that, which, whom
quel, quelle (kɛl), what
quelque (kɛlkə), some ; — **chose,** *masc.*, something
quelquefois (kɛlkəfwa), sometimes
la **question** (kɛstjɔ̃), question
qui (ki), who, that, which
quinze (kɛ̃ːz), fifteen
quitter (kite), to leave
quoi (kwa), what

raconter (rakɔ̃te), to tell, relate
rafraîchissant (rafrɛʃisɑ̃), refreshing
ramener (ramne), to bring back
le **rang** (rɑ̃), row
ranger (rɑ̃ʒe), to tidy, arrange
le **rapport** (rapɔːr), report
rapporter (rapɔrte), to report
se **raser** (sərɑze), to shave
le **rasoir** (rɑzwaːr), razor
rassembler (rasɑ̃ble), to assemble, gather
le **rat** (ra), rat
le **rayon** (rɛjɔ̃), ray
recevoir (rəsəvwaːr), to receive
le **récit** (resi), account, story
la **récompense** (rekɔ̃pɑ̃ːs), reward
refermer (rəfɛrme), to shut again
regarder (rəgarde), to look, look at
le **remède** (rəmɛːd), medicine, cure, remedy
remercier (rəmɛrsje), to thank
remplacer (rɑ̃plase), to replace
remplir (rɑ̃pliːr), to fill
remporter (rɑ̃pɔrte), to carry off, win
le **renard** (rənaːr), fox
rencontrer (rɑ̃kɔ̃tre), to meet
rendre (rɑ̃ːdr), to give back ; — **un service,** to do a service
la **rentrée** (rɑ̃tre), return ; **la — des classes,** return to school
rentrer (rɑ̃tre), to go back, return home
renverser (rɑ̃vɛrse), to upset, knock down
le **repas** (rəpɑ), meal
la **répétition** (repetisjɔ̃), rehearsal
répondre (repɔ̃ːdr), to reply, answer
la **réponse** (repɔ̃ːs), answer, reply
se **reposer** (sərəpoze), to rest
rester (rɛste), to remain, stay
retomber (rətɔ̃be), to fall down again
retourner (rəturne), to go back, return

retrouver (rətruve), to find (again)
la **réunion** (reynjɔ̃), meeting
se **réveiller** (sərevɛje), to wake up
revenir (rəvniːr), to come back
revoir (rəvwaːr), to see again ; **au —**, goodbye
le **révolutionnaire** (revɔlysjɔnɛːr), revolutionary
le **revolver** (revɔlvɛːr), revolver
le **rideau** (rido), curtain
rien (rjɛ̃), nothing
rire (riːr), to laugh
la **rivière** (rivjɛːr), river
la **robe** (rɔb), dress, frock
le **roi** (rwɑ), king
ronger (rɔ̃ʒe), to gnaw
rose (roːz), pink
rouge (ruːʒ), red
la **route** (rut), road, way ; **en —**, on one's way
rouvrir (ruvriːr), to re-open
le **ruban** (rybɑ̃), ribbon
la **rue** (ry), street
rugir (ryʒiːr), to roar
le **rugissement** (ryʒismɑ̃), roar
la **ruine** (rɥin), ruin ; **en ruines,** in ruins
le **ruisseau** (rɥiso), stream
rusé (ryze), cunning

le **sable** (sɑːbl), sand
le **sac** (sak), bag, sack
saisir (sɛziːr), to seize
la **salle** (sal) room, hall ; **la — de bain,** bathroom ; **la — de classe,** classroom ; **la — à manger,** dining-room
le **salon** (salɔ̃), drawing-room, lounge
samedi (samdi), *masc.*, Saturday
le **sandwich** (sɑ̃dwitʃ), sandwich
sans (sɑ̃), without ; **— doute,** no doubt
sauf (soːf), except
sauter (sote), to jump ; **faire —**, to toss
sauver (sove), to save
savoir (savwaːr), to know
le **savon** (savɔ̃), soap
la **scène** (sɛːn), stage, scene
scolaire (skɔlɛːr), scholastic
le **seau** (so), bucket, pail
sec, sèche (sɛk, sɛʃ), dry
second (səgɔ̃), second
le **secours** (səkuːr), help ; **au — !** help !
seize (sɛːz), sixteen
le **séjour** (seʒuːr), stay
la **semaine** (səmɛːn), week
le **sentier** (sɑ̃tje), path
sentir (sɑ̃tiːr), to smell, feel ; **— bon,** to smell good
sept (sɛt), seven
septembre (sɛptɑ̃ːbr), *masc.*, September
serrer (sɛre), to clasp ; **— la main,** to shake hands
le **service** (sɛrvis), service
la **serviette** (sɛrvjɛt), towel
seul (sœl), alone, only
seulement (sœlmɑ̃), only
sévère (sevɛːr), strict, severe
sévèrement (sevɛːrmɑ̃), severely, strictly
si (si), if, so, yes (*when contradicting*)
le **signe** (siɲ), sign
le **silence** (silɑ̃ːs), silence
le **singulier** (sɛ̃gylje), singular
situé (sitɥe), situated
six (si, sis, siz), six
la **sœur** (sœːr), sister
la **soif** (swaf), thirst ; **avoir —,** to be thirsty
le **soir** (swaːr), evening ; **du —**, p.m.
soixante (swasɑ̃ːt), sixty
soixante-dix, (swasɑ̃tdi(s)), seventy
le **soleil** (sɔlɛːj), sun
le **sommet** (sɔmɛ), top, summit

sortir (sɔrtiːr), to go out
souhaiter (swɛte), to wish
le **soulier** (sulje), shoe
la **souris** (suri), mouse
sous (su), under
le **sous-préfet** (suprefɛ), under-prefect
souvent (suvɑ̃), often
spécial (spesjal), special
le **spectateur** (spɛktatœːr), spectator, onlooker
splendide (splɑ̃did), glorious, splendid
stupide (stypid), stupid
le **sucre** (sykr), sugar
suivant (sɥivɑ̃), following
suivre (sɥiːvr), to follow
superbe (sypɛrb), superb, marvellous
sur (syːr), on, upon
sûr (syːr), sure, certain ; **j'en suis —,** I am sure
la **surprise** (syrpriːz), surprise
surtout (syrtu), above all, particularly, specially

la **table** (taːbl), table
le **tableau** (tablo), picture ; **le — noir,** blackboard
tâcher (tɑʃe), to try
la **tante** (tɑ̃ːt), aunt
tard (taːr), late ; **plus —,** later
la **tarte** (tart), tart
le **taureau** (tɔro), bull
le **taxi** (taksi), taxi
le **téléphone** (telefɔn), telephone
téléphoner (telefɔne), to telephone
la **température** (tɑ̃peratyːr), temperature
le **temps** (tɑ̃), time, weather, tense
tenir (təniːr), to hold, keep ; **se —,** to stand
le **tennis** (tɛnis), tennis
la **tente** (tɑ̃ːt), tent
la **terre** (tɛːr), earth, land
la **tête** (tɛːt), head ; **en —,** at the head
le **thé** (te), tea
le **théâtre** (teɑːtr), theatre
le **thermomètre** (tɛrmɔmɛtr), thermometer
le **ticket** (tikɛ), ticket
le **timbre-poste** (tɛ̃ːbrpɔst), postage-stamp
le **tire-bouchon** (tiːrbuʃɔ̃), corkscrew
tirer (tire), to draw, take out, let off (fireworks), fire
le **tiret** (tirɛ), dash (*punctuation*)
toi (twa), you, to you
le **tombeau** (tɔ̃bo), tomb
tomber (tɔ̃be), to fall
la **torche électrique** (tɔrʃ elɛktrik), electric torch
toujours (tuʒuːr), always
le **tour** (tuːr), trick, tour, turn
la **tour** (tuːr), tower
tout (tu), all, quite ; **— à coup** (ku), suddenly ; **— à fait,** completely, altogether, quite ; **— de suite** (sɥit), immediately ; **— de même** (mɛːm), all the same ; **tous les jours,** every day
tout le monde (tu lə mɔ̃ːd), everybody, everyone
le **train** (trɛ̃), train
le **trajet** (traʒɛ), journey
le **travail** (travaːj), work
travailler (travaje), to work
travers ; à travers (a travɛːr), across, through
la **traversée** (travɛrse), crossing
traverser (travɛrse), to cross, pass through
treize (trɛːz), thirteen
trembler (trɑ̃ble), to tremble
trente (trɑ̃ːt), thirty
très (trɛ), very
le **trésor** (trezɔːr), treasure
le **trimestre** (trimɛstr), term
triste (trist), sad

tristement (tristəmɑ̃), sadly
trois (trwɑ), three
troisième (trwɑzjɛm), third
le **trou** (tru), hole
la **troupe** (trup), troop
trouver (truve), to find

un, une (œ̃, yn), a, an, one
une **université** (ynivɛrsite), university

les **vacances** (vakɑ̃ːs), *fem.*, holidays
la **vache** (vaʃ), cow
la **valise** (valiːz), suitcase
le **véhicule** (veikyl), vehicle
la **vendeuse** (vɑ̃døːz), shop assistant, seller
vendre (vɑ̃ːdr), to sell
vendredi (vɑ̃drədi), *masc.*, Friday
venir (vəniːr), to come
le **verre** (vɛːr), glass
vers (vɛːr), towards, about (of time)
vert (vɛːr), green
le **veston** (vɛstɔ̃), jacket
le **vêtement** (vɛtmɑ̃), garment ; **les vêtements,** clothes
la **viande** (vjɑ̃ːd), meat
la **vie** (vi), life
vieux, vieil, vieille (vjø, vjɛːj, vjɛːj), old ; **mon vieux,** old chap
le **village** (vilaːʒ), village
la **ville** (vil), town
le **vin** (vɛ̃), wine
vingt (vɛ̃), twenty
le **visage** (vizaːʒ), face
la **visite** (vizit), visit
vite (vit), quickly
la **vitesse** (vitɛs), speed ; **à toute —,** at full speed
le **vocabulaire** (vɔkabylɛːr), vocabulary
voici (vwasi), here is, here are
voilà (vwala), there is, there are
voir (vwaːr), to see
voisin (vwazɛ̃), neighbouring, adjoining
le **voisin,** la **voisine** (vwazɛ̃, vwazin), neighbour
le **voleur** (vɔlœːr), thief ; **au — !** stop thief !
vouloir (vulwaːr), to want, wish
voyager (vwajaʒe), to travel
le **voyageur** (vwajaʒœːr), passenger, traveller
vrai (vrɛ), true
la **vue** (vy), sight, view

y (i), there
les **yeux** (jø), *masc.*, eyes

zut ! (zyt), oh dear ! blow !

ENGLISH-FRENCH VOCABULARY

For use when translating the passages on pp. 164-172

a, un, une
able ; to be —, pouvoir (see p. 192)
account ; on — of, à cause de
affectionate, qui vous aime
afraid (to be), avoir peur
after, après
afternoon, un(e) après-midi
all, tout (see p. 181)
already, déjà
also, aussi
always, toujours
am, see *être* (p. 187)
amusing, amusant
an, un, une
and, et
angry, fâché ; **to get —,** se fâcher
animal, un animal
annoyed, fâché
another, un (une) autre
ant, la fourmi
any, du, de la, de l', des
to **approach,** s'approcher (de)
are, see *être* (p. 187)
to **arrive,** arriver
to **ask,** demander, inviter
asleep, endormi ; **to fall —,** s'endormir
at, à
August, août (*masc.*)
aunt, la tante
Autumn, l'automne (*masc.*)

back ; to come —, revenir
bag, le sac
to **bathe,** se baigner
bathroom, la salle de bain
to **be,** être (see p. 187)
because, parce que
bed, le lit ; **in —,** au lit ; **to go to —,** se coucher
bedroom, la chambre (à coucher)
before, avant
to **begin,** commencer
behind, derrière
bell, la clochette
better (*adv.*), mieux
bicycle, la bicyclette
big, grand, gros
bird, un oiseau
birthday, anniversaire (*masc.*), la fête
biscuit, le biscuit
black, noir
blanket, la couverture
bone, un os
book, le livre ; **exercise —,** le cahier
bottle, la bouteille
box, la boîte, la caisse
boy, le (petit) garçon
brave, courageux
to **break,** casser
breakfast, le (petit) déjeuner
to **bring,** apporter
brother, le frère
bucket, le seau
bus, un autobus
but, mais
to **buy,** acheter

to **call,** appeler ; **to be called,** s'appeler
can, see *pouvoir* (p. 192)

candle, la bougie
to **capture**, prendre
car, une automobile
card, la carte ; **post —**, carte postale
careful (to be), faire attention
to **carry**, porter
case, la valise
castle, le château
to **catch**, attraper, prendre
chair, la chaise
chairman, le président
child, un (une) enfant
Christmas, Noël (*masc.*) ; **Christmas-tree**, arbre de Noël
cigarette, la cigarette
cinema, le cinéma
clerk, un employé
to **close**, fermer ; **to — again**, refermer
coffee, le café
cold, froid ; **to be —**, avoir froid (*of people*) ; faire froid (*of weather*)
to **come**, venir ; **to — in**, entrer ; **to — back**, revenir ; **to — home**, rentrer
concert, le concert
conjuring trick, le tour de prestidigitation
correspondent, le correspondant
costume (swimming), le maillot
counter, le comptoir
country, le pays ; **in the —**, à la campagne
course ; **of —**, bien entendu, naturellement
cousin, le cousin, la cousine
crossing, la traversée
cup, la tasse
customs, la douane
customs officer, le douanier
cycle-ride, une promenade à bicyclette

to **dance**, danser
daughter, la fille
day, le jour, la journée ; **day's holiday**, le jour de congé
dear, cher, *fem.* chère ; **oh — !** mon Dieu !
to **declare**, déclarer
to **decorate**, décorer
difficulty, la difficulté
dining-room, la salle à manger
dinner, le dîner
distribution, la distribution
to **do**, faire
doctor, le médecin
dog, le chien
door, la porte
downstairs ; **to go —**, descendre
drawing-room, le salon
to **drink**, boire
during, pendant

early, de bonne heure
easily, facilement
to **eat**, manger
eight, huit
end, le bout, la fin
to **end**, finir
England, Angleterre (*fem.*) ; **to —**, en Angleterre
to **enjoy** ; **to — oneself**, s'amuser
enormous, énorme
enough, assez (de)
to **enter**, entrer (dans)
especially, surtout
even, même
evening, le soir
every, tous ; **— day**, tous les jours ; **— door**, toutes les portes
everybody, tout le monde
to **examine**, examiner, fouiller

to **fall**, tomber ; **— asleep**, s'endormir
father, le père, papa
fifty, cinquante

film, le film
to **find**, trouver
fine, beau ; *fem.* belle ; **it is —**, il fait beau
to **finish**, finir
fire, le feu
first, premier ; *fem.* première
five, cinq
football (*game*), le football
for, pour
forest, la forêt
to **forget**, oublier
fox, le renard
franc, le franc
Frenchman, le Français
Friday, le vendredi
friend, un ami, une amie ; **school —**, un(e) camarade
from, de
front ; **in — of**, devant

to **gain**, gagner
garden, le jardin
George, Georges
to **get up**, se lever
girl, la jeune fille ; (**small**) **girl**, la fillette, la petite fille
to **give**, donner
to **go**, aller ; **to — back**, retourner ; **to — down**, descendre ; **to — in**, entrer ; **to — out**, sortir ; **to — up**, monter ; **to — to bed**, se coucher ; **to — to sleep**, s'endormir ; **to — round**, faire le tour de.
good, bon ; *fem.* bonne ; **to have a — time**, s'amuser (bien)
goodbye, au revoir
grain, le grain
grasshopper, la cigale
grenadine, la grenadine
groan, le gémissement

half, demi ; **— past**, et demi(e)
happy, content, heureux
has, see *avoir* (p. 186)
to **have**, avoir (see p. 186)
he, il
head, la tête
headmaster, le directeur
headmistress, la directrice
to **hear**, entendre
to **help**, aider
Henry, Henri
her (*adj.*), son, sa, ses ; (*pron.*) la ; (*stressed pron.*) elle
here, ici ; **— is**, **— are**, voici ; **— she is**, la voici
hidden, caché
to **hide**, cacher
him, le, (*stressed*) lui
his, son, sa, ses
history, l'histoire (*fem.*) ; **— master**, le professeur d'histoire ; **— book**, le livre d'histoire
to **hold**, tenir
hole, le trou
holidays, les vacances (*fem. pl.*)
home, la maison ; **at —**, à la maison, chez moi, chez toi, etc.
homework, les devoirs (*masc. pl.*)
to **hope**, espérer
hour, une heure
house, la maison
housework ; **to do the —**, faire le ménage
hundred, cent
hunger, la faim
hungry ; **to be —**, avoir faim

I, je, (*stressed*) moi
if, si
ill, malade
immediately, immédiatement, tout de suite
important, important
impossible, impossible
in, dans, à, en ; **— the box**, dans la boîte ; **— the**

country, à la campagne ; — **France,** en France
insect, un insecte
intelligent, intelligent
into, dans
to **invite,** inviter
is, est ; **there** — (*pointing*), voilà ; **there** —, il y a ; **here** —, voici
it (*nom.*), il, elle ; (*acc.*) le, la

John, Jean
July, le juillet ; **in** —, en juillet

kennel, la niche
kitchen, la cuisine
to **know,** savoir (see p. 192)

lake, le lac
large, grand
last, dernier ; *fem.* dernière ; — **night,** hier soir ; — **week,** la semaine dernière ; **at** —, enfin
later, plus tard
to **laugh,** rire (see p. 194)
leaf, la feuille
to **leave,** partir ; **to — the house,** quitter la maison ; **to — my books,** laisser mes livres
to **lend,** prêter
lesson, la leçon
let us give, donnons
letter, la lettre
to **lie down,** se coucher
to **like,** aimer
lion, le lion
liquid, le liquide
little, petit
little (*adv.*), peu ; **a — bread,** un peu de pain
to **live,** demeurer
long, long ; *fem.* longue ; **for a — time,** longtemps
to **look,** regarder ; **to — at,** regarder ; **to — for,** chercher ; **to — on to,** donner sur
to **lose,** perdre
lovely, joli ; beau ; *fem.* belle
loving, qui vous aime
lucky ; **to be** —, avoir de la chance
lunch, le déjeuner
to **lunch,** déjeuner

to **make,** faire
man, un homme, le monsieur
many, beaucoup (de) ; **so** —, tant (de) ; **too** —, trop (de)
mathematics, les mathématiques (*fem.*)
mayor, le maire
me, me, (*stressed*) moi
meal, le repas
meat, la viande
to **meet,** rencontrer
minute, la minute
Miss, mademoiselle
Monday, le lundi
money, l'argent (*masc.*)
more, plus (de) ; **once** —, encore une fois
morning, le matin ; **good** —, bonjour
mother, la mère, maman
mouth, la bouche ; (*of dog*) la gueule ; (*of bird*) le bec
much, beaucoup (de) ; **how** —, combien (de)
must, see *devoir* (p. 192)
my, mon, ma, mes

near, près de
to **need,** avoir besoin de
neighbour, le voisin ; la voisine
never, ne... jamais
newspaper, le journal
next, prochain ; — **day,** le lendemain
night, la nuit ; **last** —, hier soir

nine, neuf
no, non ; (*with verb*) ne... pas
noble, noble
not, ne... pas
note (*money*), le billet
nothing, ne... rien ; — **to eat,** rien à manger
to **notice,** remarquer
now, maintenant

o'clock, heure(s), see p. 9
of, de ; — **course,** naturellement
office, le bureau ; **customs —,** la douane ; — **officer,** le douanier
often, souvent
old, vieux (vieil) ; *fem.* vieille ; **how — is... ?** quel âge a... ? **ten years —,** âgé de dix ans
on, sur
one, un, une
to **open,** ouvrir
orange-box, la caisse à oranges
other, autre
our, notre, nos
overcoat, le pardessus

palace, le palais
pancake, la crêpe
paper, le papier
parcel, le colis
passenger, le passager
past (*the hour*), see p. 9
person, la personne
picnic, le pique-nique ; **to go for a —,** faire un pique-nique
piece, le morceau
pipe, la pipe
please, s'il vous plaît
pleased (to), content (de)
plenty, beaucoup
police, la police
policeman, un agent de police
post card, la carte postale
postman, le facteur
post-office, le bureau de poste
to **prepare,** préparer
present, le cadeau
to **pretend** ; **to — to be ill,** faire le malade
prize, le prix ; **Prize Distribution,** la Distribution des Prix
to **promise,** promettre
pupil, un(e) élève
to **put,** mettre

quarter, le quart ; — **past** (*the hour*), et quart
quickly, vite

to **rain,** pleuvoir
rat, le rat
razor, le rasoir
to **read,** lire
ready (to), prêt (à)
to **receive,** recevoir
red, rouge
to **reply,** répondre
to **rest,** se reposer
restaurant, le restaurant
to **return,** revenir, retourner ; — **home,** rentrer
ride, une promenade (see p. 108)
river, la rivière ; (*large*) le fleuve
room, la pièce, la chambre
rough (*of sea*), agitée
round, autour de

safe, le coffre-fort
sandwich, le sandwich
Saturday, le samedi
to **say,** dire
scales, la balance
school, une école, le lycée ; — **year,** une année scolaire
sea, la mer
to **search for,** chercher
seaside, le bord de la mer
second, second
to **see,** voir
to **send,** envoyer

shall, see future tense, p. 107
she, elle
shoe, le soulier
shop, le magasin
to **shout,** crier
to **show,** montrer
silver (*adj.*), argenté
to **sing,** chanter
sister, la sœur
to **sit,** s'asseoir, see p. 192
sitting, assis(e)
six, six
to **sleep,** dormir ; **to go to —,** s'endormir
small, petit
to **smoke,** fumer
to **sniff,** flairer
snow, la neige
some, du, de la, de l', des
son, le fils
soon, bientôt
to **speak,** parler
speech, le discours
to **spend** (*time*), passer
stage, la scène
stamp, le timbre-poste
star, une étoile
to **start,** commencer, partir
station, la gare
to **stay,** rester
story, une histoire
straight away, tout de suite
stream, le ruisseau
strict, sévère
suddenly, tout à coup
suitcase, la valise
summer, l'été (*masc.*) ; **— holidays,** vacances d'été
sunshine ; in the —, au soleil
sweet, le bonbon
swimming-costume, le maillot

table, la table ; **to lay the —,** mettre la table
to **take,** prendre ; (*of people*) emmener ; **— out,** retirer ; **— place,** avoir lieu
to **talk,** parler
tea, le thé
teacher, le professeur
telegram, le télégramme, la dépêche
to **telephone,** téléphoner
to **tell,** dire, raconter
ten, dix
than, que
that (*dem. adj.*), ce, cet, cette (see p. 180)
that (*conj.*), que
that (*relative pron.*), qui, que (see p. 184)
the, le, la, l', les
their, leur, leurs
them, les ; (*stressed*) eux, elles
then, puis
there (*place*), là
there is (are), il y a
there is (are) (*when indicating person or object*), voilà
these (*dem. adj.*), ces
they, ils, elles
thief, le voleur
thirsty ; to be —, avoir soif
thirty, trente
this (*dem. adj.*), ce, cet, cette
those (*dem. adj.*), ces
three, trois
to **throw,** jeter
Thursday, le jeudi
to **tidy,** ranger
time, le temps
time (*on clock*), l'heure (*fem.*) ; **what — is it?** quelle heure est-il ?
time ; to have a good —, s'amuser
tired, fatigué
to, à ; (*with fem. countries*) en
today, aujourd'hui
tomorrow, demain
tonight, ce soir
too, aussi ; **— big,** trop grand
to **toss,** faire sauter
towel, la serviette

town, la ville
train, le train
treasure, le trésor
tree, un arbre
trick, le tour
twelve, douze ; **— o'clock,** midi
two, deux

uncle, un oncle
under, sous
unpleasant, désagréable
up ; to get —, se lever
us, nous

vegetable, le légume
very, très
visit, la visite
to **visit,** visiter
village, le village

to **wait ; — for,** attendre
wall, le mur
to **want,** désirer, vouloir
warm, chaud
was, see *être* (p. 187)
watch, la montre
water, l'eau (*fem.*)
we, nous
Wednesday, le mercredi
week, la semaine
well, bien ; **very —!** (*exclam.*) eh bien !
went, see *aller* (p. 191)
were, see *être* (p. 187)
what (*adj.*), quel ; **— a fine house !** quelle belle maison !
what (*obj. of verb*), que, qu'est-ce que (see p. 184)
when, quand
where, où
which (*rel. pron.*), qui, que (see p. 184)
which (*adj.*), quel
while, pendant que
white, blanc ; *fem.* blanche
who, qui
whom (*rel. pron.*), que ; (*with preposition*) qui
why, pourquoi
wife, la femme
will, see future tense, p. 107
will you ? voulez-vous ?
to **win,** gagner, remporter
window, la fenêtre
winter, l'hiver (*masc.*) ; **in —,** en hiver
with, avec, chez ; **covered —,** couvert de
without, sans
work, le travail
to **work hard,** travailler ferme
to **write,** écrire, p. 193

year, un an, une année
yes, oui ; (*in contradiction*) si
yesterday, hier
you (*nom.*), tu, vous ; (*accus.*) te, vous
young, jeune
your, ton, ta, tes, votre, vos

Printed in Great Britain by
Thomas Nelson and Sons Ltd, Edinburgh